RAPIDO PRESTO

Geneviève O'Gleman,
Dt.P. Nutritionniste

150 RECETTES SANTÉ EN 30 MINUTES

ÉDITIONS LA SEMAINE

LES ÉDITIONS LA SEMAINE
2050, rue de Bleury, bureau 500
Montréal (Québec) H3A 2J5

Éditeur: Claude J. Charron
Éditeur délégué: Claude Leclerc
Directrice du secteur édition de livres: Dominique Drouin
Directrice des éditions: Annie Tonneau
Coordonnatrice aux éditions: Françoise Bouchard
Directrice artistique: Lyne Préfontaine
Directeur des opérations: Réal Paiement
Superviseure de la production: Lisette Brodeur
Assistante de la production: Joanie Pellerin
Infographiste: Marylène Gingras
Scanneristes: Patrick Forgues, Éric Lépine

Réviseures-correctrices: Violaine Ducharme,
Véronique Lamontagne, Marie Théorêt

Photos: Christian Savard, photographe
Styliste: Karine Lamontagne
Maquillage: Sylvy Plourde

Remerciements
Gouvernement du Québec – Programme de crédit d'impôt
pour l'édition de livres – Gestion SODEC

L'Éditeur bénéficie du soutien de
la Société de développement des entreprises culturelles
du Québec pour son programme d'édition.

© Charron Éditeur Inc.
Dépôt légal: Premier trimestre 2009
Bibliothèque et Archives nationales du Québec
Bibliothèque et Archives Canada
ISBN: 978-2-923501-56-7

À ma mère, qui m'a initiée au plaisir de cuisiner...

Distribution : Messageries de presse Benjamin
101, rue Henry-Bessemer
Bois-des-Fillion (Québec) J6Z 4S9
450 621-8167

TABLE DES MATIÈRES

●●●● REMERCIEMENTS

Je tiens à remercier sincèrement tous ceux qui m'ont épaulée dans la rédaction de ce troisième livre de recettes.

Mes premiers pas en cuisine, je les ai faits auprès de ma maman et je la remercie pour tout ce qu'elle m'a appris et aussi pour sa patience! Je sais aujourd'hui que j'ai été privilégiée de manger des plats maison soir après soir.

Je remercie aussi Stéphane, mon amoureux. J'apprécie entre autres la complicité que nous avons à table pour initier notre fille, déjà curieuse et gourmande, aux joies des repas en famille. Ta curiosité, tes bonnes idées et ton petit côté difficile me poussent à aller plus loin dans la création de mes recettes. Et j'aime cuisiner avec toi!

Maude, tu es toujours un excellent cobaye, même si tu te méfies parfois de ce que je mets dans ton assiette! Tes commentaires sur ce que je cuisine me font toujours bien rire. Ensemble, nous nous sommes régalées tout au long de l'écriture de ce livre de recettes.

Un grand merci à toute l'équipe des Éditions La Semaine. C'est un plaisir de travailler avec vous. Je remercie plus particulièrement Dominique Drouin, Lyne Préfontaine et Françoise Bouchard. Merci à Christian Savard pour ses magnifiques photos.

Un sincère merci à Claude J. Charron, pour la confiance que vous m'accordez.

Merci à Eve Godin, nutritionniste, pour m'avoir secondée au fil de l'écriture de ce livre. Tes suggestions, tes trucs et tes commentaires sont précieux. Merci à Claude-Sylvie Lemery, journaliste, pour tes conseils judicieux après la lecture attentive de mon manuscrit. Merci également à Judith Blucheau, nutritionniste, pour l'analyse nutritionnelle des recettes et à Geneviève Nadeau, future nutritionniste, pour la révision des recettes.

Et à mes amies, qui trouvent que je travaille trop... mais qui comprennent que je suis passionnée par ce que je fais: merci!

⬤⬤⬤ INTRODUCTION

CUISINE TOP CHRONO!

Le temps est devenu une denrée rare. Avec le travail, la famille, les repas, les devoirs et les tâches ménagères, nos journées sont parfois plutôt étourdissantes! Chaque minute gagnée devient une petite victoire.

Plusieurs croient que cuisiner des repas santé, c'est forcément long et compliqué. Je veux vous prouver le contraire! Grâce aux trucs, recettes et trouvailles de ce livre, vous apprendrez à préparer rapidement des mets savoureux.

RECETTES POUR TOUS

Ce livre s'adresse autant aux jeunes parents qui courent entre la garderie du petit et la pratique de hockey du plus grand qu'aux professionnels sans enfants qui rentrent tard du boulot, aux étudiants en appartement qui n'ont jamais appris à cuisiner, et aux couples qui veulent se simplifier la vie maintenant que les enfants ont quitté la maison. Bref, à tous ceux qui souhaitent profiter pleinement de leur journée en passant moins de temps devant les chaudrons et plus de temps à table, autour d'un bon repas.

Ces recettes vont certainement plaire autant à ceux qui font leurs premiers pas en cuisine qu'à ceux, plus expérimentés, qui sont à la recherche de nouvelles idées savoureuses, faciles et rapides à concocter, et éprouvées par une nutritionniste!

Après avoir présenté des recettes anti-cancer dans un premier bouquin et revitalisé la boîte à lunch dans un deuxième, je suis heureuse de vous proposer un troisième livre consacré aux fameux repas du soir qui, par définition, reviennent soir après soir!

RAPIDE ET SANTÉ

Au bout de centaines d'essais, j'ai mis au point des recettes simples qui seront prêtes en moins de temps qu'il n'en faut pour se faire livrer une pizza! Ah oui, j'oubliais... Ce sont aussi des recettes santé! Mais vous n'êtes pas obligé de le dire... Votre famille et vos invités les apprécieront d'abord pour leur bon goût. Tant mieux, donc, si vous joignez l'utile à l'agréable!

Ces petits plats sont ceux que je prépare régulièrement à ma famille, les soirs de semaine. Comme vous, mes journées sont bien remplies ; et le soir venu, les repas ont intérêt à être prêts rapidement ! Bien sûr, j'adore popoter et je m'adonne à ce plaisir le week-end, la plupart du temps avec un verre de vin et en bonne compagnie. Mais en semaine, il faut que ça roule !

Saviez-vous que les ventes de repas surgelés précuits ont grimpé de 700 % en 20 ans[1] ? On pourrait croire que les Québécois n'ont plus le temps de cuisiner et qu'ils doivent se tourner vers les repas prêts à manger que propose l'industrie alimentaire.

Mais détrompez-vous ! Cuisiner une de mes recettes sera plus rapide que de réchauffer une lasagne surgelée du commerce.

SANS PRÉTENTION

Je vous propose donc des recettes sans artifices. Je ne suis pas un chef, je ne coupe pas les oignons à la vitesse de l'éclair. Je cuisine d'abord pour ma famille et je serais ravie si ma passion pour la cuisine à la fois savoureuse et santé trouve un écho jusque dans votre assiette. Ce livre est en quelque sorte ma contribution pour vous simplifier la vie.

VITE FAIT, BIEN FAIT !

Je ne prétends pas ici réinventer la cuisine. Et au risque d'en choquer certains, je me suis permis de transformer des classiques pour les rendre ultrarapides. J'emprunte des raccourcis, mais après tout, l'important est que ce soit bon, peu importe le chemin que l'on prend, non ?

La cuisine maison, c'est… plus économique, plus sain, plus savoureux et plus réconfortant. Maintenant, nous allons la rendre plus rapide. S'il faut que ce soit prêt « maintenant » et « tout de suite », j'ai la solution !

Suivez-moi !

Geneviève O'Gleman

Geneviève O'Gleman
Dt.P. Nutritionniste

---

1. Voir références p. 232

On court toujours!

La vie va vite et, malheureusement, l'alimentation est trop souvent la grande perdante de cette course folle. Après une journée épuisante et une heure de pointe éreintante, la tentation est forte de commander une pizza.

Le manque de temps serait la raison numéro un pour laquelle on ne se prépare pas davantage de petits plats maison. C'est ce que révèle un sondage effectué auprès de 4 000 internautes par les Diététistes du Canada en 2006. Ainsi, 42 % des Canadiens affirment que le temps représente le plus grand obstacle à la préparation des repas. Le manque d'énergie est le deuxième obstacle dans 37 % des cas. Ce n'est pas rien! Voilà qui explique pourquoi certaines des solutions-repas préparées par l'industrie alimentaire sont devenues si séduisantes pour plusieurs!

Mais à mon avis, il ne faut pas laisser notre rythme de vie effréné diminuer la qualité de notre alimentation. C'est un cercle vicieux. Des mauvaises habitudes alimentaires grugent notre énergie, accentuent la fatigue, diminuent notre efficacité et, en fin de compte, nous avons moins de temps pour cuisiner.

2. Voir références p. 232

Le déclin de la popote

Il y a 100 ans, dans les familles moyennes en Amérique du Nord, la femme passait environ six heures par jour à cuisiner, sans compter le temps requis pour s'occuper des enfants et effectuer les tâches ménagères[2]. Un emploi à temps plein aux fourneaux, quoi! Tout était fait à la main, car l'industrie alimentaire n'était pas ce qu'elle est aujourd'hui et le lave-vaisselle ne faisait partie que des rêves les plus fous des femmes à la maison. À cette époque, le poulet se promène encore dans la cour arrière alors que maintenant, on le trouve entièrement désossé et emballé dans une barquette de styromousse, au supermarché.

LES ANNÉES 20
Les frigos et les fours électriques commencent à s'implanter dans les maisons; les conserves de légumes et de soupes, les céréales à déjeuner et le pain tranché font aussi leur apparition sur la table. Quelle révolution! Les ménagères passent maintenant moins de quatre heures par jour en cuisine.

LES ANNÉES 40
Des compagnies d'électroménagers équipent gratuitement les écoles avec les plus récentes cuisinières électriques pour que les jeunes filles aient envie d'en avoir des semblables à la maison, une fois mariées. Pas bête!

LES ANNÉES 50
La prospérité de l'après-guerre a aussi son rôle à jouer dans la cuisine. Les familles s'enrichissent et les petits

appareils électroménagers font leur apparition sous le sapin à Noël. Les aliments surgelés se multiplient et les mamans peuvent maintenant servir à leur famille le *TV-dinner*, ce fameux symbole des années 50.

LES ANNÉES 60
Près de 75 % des familles possèdent un lave-vaisselle électrique. Des livres de recettes proposent aussi des plats faits uniquement d'aliments en conserve et de pommes de terre en poudre... Les femmes passent à ce moment-là moins de trois heures par jour dans la cuisine.

LES ANNÉES 70
La montée du féminisme et des mouvements de libération remettent en question de nombreux stéréotypes, dont celui de la ménagère aux fourneaux. La femme travaille plus et a moins de temps pour cuisiner. Les mélangeurs, extracteurs à jus, robots et autres appareils culinaires envahissent les cuisines modernes. Quelques années plus tard, les fours à micro-ondes viennent révolutionner la façon de cuisiner. Pendant ce temps, la taille des familles est en chute libre, les repas sont pris à la course et la mode est aux restaurants. On passe maintenant un peu plus d'une heure par jour à faire de la cuisine... et ce n'est plus uniquement l'affaire des femmes. À vos tabliers, messieurs !

LES ANNÉES 80
La cuisine devient une habitude du week-end qui marie gastronomie et plaisirs de la vie. Les chefs réputés et les chroniqueurs-vedettes transmettent au public leur passion pour les joies de la table.

LES ANNÉES 2000
Et depuis, le temps passé à cuisiner en semaine ne cesse de diminuer. Les journées de travail sont plus longues, les modèles familiaux changent, et l'avènement d'Internet et du cellulaire sont parmi les éléments qui font que la vie va de plus en plus vite. De moins en moins de repas sont préparés à partir d'ingrédients de base, sans raccourcis du commerce.

D'un côté, on adore les livres de recettes et les émissions de cuisine à la télévision – il n'y en a jamais eu autant ! On se régale de produits du terroir et on se plaît à déguster de bons vins. On s'initie aux aliments biologiques et on fréquente les marchés publics. D'un autre côté, on se fait bombarder de publicités qui essaient de nous convaincre que la cuisine maison est compliquée et qu'on peut se passer de cette corvée grâce aux plats prêts à manger des restaurants et supermarchés.

On mange à toute heure du jour et les aliments sont offerts partout, même à la quincaillerie et à la librairie ! Du petit-déjeuner au souper, on consacre maintenant à peine 45 minutes par jour pour cuisiner les repas. Par manque de temps, de connaissances ou d'intérêt, on cuisine de moins en moins et, malheureusement, c'est notre qualité de vie qui en souffre.

Le plaisir de cuisiner

Pourquoi est-ce si important de cuisiner des repas à la maison alors qu'on manque de temps et que l'industrie alimentaire rivalise d'originalité pour nous offrir des plats prêts à manger?

Une étude américaine menée auprès de 1 700 jeunes adultes démontre que 31% des gens qui affirment cuisiner beaucoup mangent 5 portions ou plus de fruits et légumes par jour, alors que seulement 3% de ceux qui cuisinent très peu consomment quotidiennement au moins 5 portions de fruits et légumes[3]. Le minimum recommandé par le *Guide alimentaire canadien* est de 7 portions par jour pour une femme et de 8 portions pour un homme.

Une autre étude américaine, menée auprès d'un groupe de femmes, démontre que celles qui mangent plus souvent des repas préparés à l'extérieur de la maison consomment plus de calories, de gras et de sel que les femmes qui cuisinent davantage à la maison[4].

Mais il demeure que cuisiner est loin d'être un plaisir pour tous. Peut-être est-ce votre cas? J'espère que les recettes de ce livre vous prouveront que manger santé n'est pas si compliqué, ni trop long à réaliser. Et rien ne peut remplacer les bonnes odeurs qui émanent de la cuisine lorsqu'on prépare des plats maison!

UN DÉBUT À TOUT

Parfois, le problème n'est pas le manque de temps, mais plutôt le manque de confiance et l'inexpérience.

Il n'y a pas de secret: c'est en cuisinant qu'on devient plus habile. Demandez à ma mère à quoi ressemblait ma première soupe! Toute l'armoire à épices y est passée. En cuisinant une stracciatella – une soupe italienne aux filaments d'œufs –, j'avais cassé les œufs directement dans le bouillon, sans même les battre. Les jaunes ont cuit en boule; je les ai donc hachés et remis dans le bouillon. Yeurk! Ma famille mérite encore toute ma considération pour avoir mangé cette soupe avec le sourire dans l'intention de ne pas décourager mes premières tentatives. Mais je n'ai pas abandonné et aujourd'hui, je vous propose *Rapido presto*, mon troisième livre de recettes.

Si vous n'êtes pas habile aux fourneaux, commencez par des recettes simples. De jour en jour, vos gestes deviendront plus sûrs. Vous apprendrez de vos erreurs et surtout de vos réussites! Rapidement, vous commencerez à improviser et vous ne serez plus à la merci des livres de recettes. Vous apprendrez à mesurer «à l'œil» et vous saurez adapter les recettes selon vos goûts et les ingrédients que vous avez sous la main. Il n'y a pas que les grands chefs qui peuvent faire de la magie dans une cuisine. Osez expérimenter et allez au-delà des recettes de ce livre!

3, 4 Voir références p. 232

Faites-vous confiance

Toutes les recettes de ce livre ont été testées plusieurs fois et je peux vous parier que vous n'obtiendrez pas les mêmes résultats que moi. C'est normal! D'abord, vous n'avez pas le même four, ni les mêmes casseroles, ni les mêmes ustensiles. Vos ingrédients ne sont assurément pas tout à fait identiques aux miens non plus. Il suffit d'une laitue plus amère, d'une tomate plus juteuse, d'un fromage plus salé ou d'une viande plus maigre pour que le produit fini demande des ajustements.

N'hésitez donc pas à faire ces ajustements. Ne cuisinez pas à l'aveuglette! Goûtez à votre recette en cours de route. Fiez-vous à vos papilles. Rectifiez les assaisonnements, ajoutez un peu plus de ceci ou de cela et notez les corrections à même le livre, si vous le souhaitez.

Pour ne pas perdre de temps

En cuisine, un minimum d'organisation peut faire toute la différence. D'abord, lisez la recette jusqu'à la fin avant de commencer. Vous aurez une vue d'ensemble de ce qui vous attend. Sortez le matériel et les aliments nécessaires. Ensuite, lavez-vous les mains et profitez-en pour laver les fruits et les légumes de la recette. Si des pâtes sont au menu, remplissez tout de suite une casserole d'eau et portez-la à ébullition en y mettant un couvercle. Préchauffez le four si nécessaire.

Assurez-vous d'avoir assez d'espace pour travailler. *Exit* les traîneries qui encombrent le comptoir de la cuisine. Rangez les appareils électroménagers que vous n'utilisez qu'une fois l'an. Même exiguë, une cuisine peut devenir très fonctionnelle. Placez devant vous une planche à découper, grande et stable, et prévoyez juste à côté un bol ou un essuie-tout pour y mettre les retailles d'aliments. Ce sera plus simple lorsque viendra le temps de nettoyer et vous éviterez les va-et-vient à la poubelle.

Pendant que le plat mijote, profitez-en pour ranger ce qui n'est plus utile, dresser la table et prendre de l'avance sur le lavage de la vaisselle. Faites tremper les plats collés et vous passerez à table en sachant que la cuisine n'est pas un champ de bataille!

Au menu: plaisir et bonne humeur

Chez nous, le repas du soir est un rituel. C'est sacré! C'est un moment privilégié en famille, une pause que l'on s'accorde chaque jour.

En cuisinant rapidement, vous aurez plus de temps pour savourer et apprécier le repas. Mangez lentement, dans la salle à manger plutôt que dans le salon, en famille, la télévision éteinte. Prenez le temps de souffler. Discutez de la journée de chacun, en remettant à plus tard les sermons, les critiques et les punitions. Dites-vous que l'ambiance qui se dégage des repas restera gravée dans la mémoire de chacun. Quels souvenirs des repas en famille souhaitez-vous laisser à vos enfants?

Les parents agissent comme des modèles à table[5].

Les enfants, même les grands, imitent leurs comportements souvent à leur insu. Ils intègrent les bonnes et les moins bonnes habitudes[6,7]. Si papa boude le poisson, ce sera peut-être très difficile de convaincre fiston d'en manger à son tour.

Des études démontrent même que le simple fait de manger en famille favorise la communication et aiderait à diminuer les comportements à risque chez les jeunes (contrôle excessif du poids, usage de drogues, violence, problèmes scolaires, comportements sexuels à risque...)[8,9]. Ne sous-estimons pas le pouvoir des repas! Pris en famille, ils représentent en quelque sorte un espace de réconfort pour tous, petits et grands[10].

Les apprentis en cuisine

Cuisiner ne devrait pas être qu'une affaire d'adultes. Si vous les intégrez progressivement à la préparation des repas, vos enfants deviendront plus autonomes dans une cuisine, ils apprendront à concocter des recettes simples et ils apprivoiseront petit à petit des méthodes plus complexes.

De votre côté, vous en apprendrez plus sur leurs préférences alimentaires et ils auront un plus grand sentiment de «contrôle» face au contenu des repas. Déléguez des tâches à leur mesure, selon leur âge. Ils tireront de la fierté de leurs créations et ils seront

moins tentés de bouder ce qu'ils ont mis tant d'effort à préparer.

Même les enfants de deux ou trois ans peuvent effectuer certaines tâches en cuisine. Déchiqueter la laitue, ajouter les légumes dans le bol au fur et à mesure que vous les coupez, mélanger les trempettes... En grandissant, ils pourront éplucher les pommes de terre, les carottes et les concombres, râper le fromage, trancher les champignons et les tomates (des légumes faciles à couper), manipuler un ouvre-boîte et mesurer des ingrédients selon vos indications. À partir de la première

5, 6, 7, 8, 9, 10 Voir références p. 232

ou de la deuxième année du primaire, votre enfant pourra vous lire les étapes de la recette avec de plus en plus d'aisance.

Ma fille de trois ans adore cuisiner et elle a même collaboré à plusieurs recettes de ce livre! Et même si elle ne me facilitait pas toujours la tâche, elle était heureuse de contribuer à sa façon à la préparation du repas. À la voir déguster chaque fois le repas avec fierté et appétit, je suis persuadée que ça vaut bien un peu d'effort et de patience! Depuis qu'elle est toute petite, elle m'accompagne en cuisine. À huit ou neuf mois, elle s'amusait déjà avec des cuillères de bois en m'observant et, de fil en aiguille, elle a commencé à m'aider «pour vrai».

Parmi les répondants d'un sondage des Diététistes du Canada[11], 52 % ont appris à cuisiner auprès de leur mère. Toutefois, les femmes d'aujourd'hui, et surtout les jeunes mamans de ma génération, consacrent moins de temps à la cuisine. Et cuisiner avec les enfants dans les pattes est souvent considéré comme un fardeau supplémentaire.

Des chercheurs ont même constaté que plus un enfant collabore souvent à la préparation des repas, plus son alimentation générale tend à être plus faible en gras, et plus élevée en fruits, en légumes, en fibres alimentaires et en vitamines[12]. C'est bon à savoir!

MENU COLLECTIF

Vous pouvez aussi faire participer les enfants au choix du menu de la semaine. Chacun propose un repas qu'il aime. Une seule règle à ce jeu: si la recette a déjà été servie dernièrement, il faut en trouver une autre. Vive la variété!

Les jeunes enfants peuvent même s'amuser à décorer le menu avec des dessins et des autocollants. Un truc: conservez le menu une fois la semaine terminée. Il pourra être réutilisé dans quelques semaines, si le temps vous manque pour en planifier un nouveau.

11, 12   Voir références p. 232

Pannes d'inspiration

«Qu'est-ce qu'on mange ce soir?» Comment donc être inspiré et trouver de nouvelles idées, jour après jour, pour répondre à cette sapristi question?

Parcourez vos magazines, vos livres de recettes et vos sites Web de cuisine préférés, et relevez toutes les recettes qui vous plaisent et qui sont rapides à préparer. Découpez, photocopiez ou imprimez ces recettes, regroupez-les et conservez-les au même endroit. Cette banque d'idées viendra à votre rescousse lorsque la monotonie se mettra de la partie. Vous n'aurez pas à éplucher votre collection entière de livres de recettes à la recherche d'idées. Annotez les recettes que vous aurez déjà essayées avec les commentaires de votre famille. Vous pouvez y mettre des étoiles; une mention trois étoiles signifiera que tout le monde a adoré!

Vous pouvez aussi dresser une liste des recettes santé que toute la famille aime et la fixer à votre réfrigérateur. Jetez-y un coup d'œil avant d'aller faire l'épicerie. Une source indéniable d'inspiration!

MÉMOIRE SÉLECTIVE

Avez-vous remarqué qu'on ne retient qu'une dizaine de recettes par cœur? Comme si votre mémoire éliminait des recettes à mesure que d'autres s'ajoutent à votre répertoire. La preuve? Souvenez-vous de ce que vous aviez l'habitude de manger il y a 5 ans. Ces pâtes aux champignons que toute la famille aimait... Pourquoi ne sont-elles plus au menu? D'une chose à l'autre, cette recette a été éliminée de votre mémoire et pourtant, vous l'aimiez. Alors, ne vous fiez pas à votre disque dur et prenez des notes!

Écrivez les recettes préférées de tous dans un petit cahier qui deviendra votre livre *Rapido presto* à vous! En panne d'idées? Un petit coup d'œil et le tour est joué. Et si vous avez des enfants, ce sera un beau cadeau que de leur léguer ce cahier écrit de votre main, le jour où ils voleront de leurs propres ailes.

Qu'est-ce qu'un repas santé?

Pour être santé, un repas n'a pas besoin d'être compliqué. Un simple regard sur votre assiette vous permet de savoir si votre repas est équilibré ou non.

**Divisez votre assiette
en trois sections égales:**
- Le premier tiers devrait contenir des **fruits** ou des **légumes**, crus ou cuits.
- Le second tiers devrait contenir des **produits céréaliers** ou des **féculents** tels que le pain, les pâtes, le riz, le couscous, l'orge, les pommes de terre, le maïs, les céréales et autres aliments à base de farine ou de grains.
- Le dernier tiers devrait contenir une ou plusieurs sources de **protéines**. Choisissez parmi les protéines **animales** (viande, volaille, poisson, fruits de mer, œufs, lait, yogourt, fromage) ou **végétales** (tofu, noix, légumineuses, arachides).

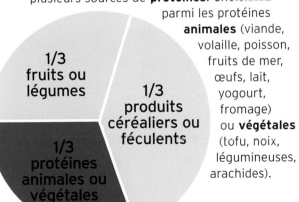

1/3 fruits ou légumes

1/3 produits céréaliers ou féculents

1/3 protéines animales ou végétales

Choisissez des aliments frais et le plus près possible de leur état naturel. Privilégiez les fruits et légumes de saison et les aliments locaux. Ils demanderont un minimum de préparation et offriront un maximum de saveurs. Des aliments de qualité n'ont besoin que d'un petit coup de pouce pour être mis en valeur. Les soirs de semaine, oubliez les présentations sophistiquées et les techniques de cuisson prolongées. Visez la simplicité!

Lorsque vous optez pour un condiment du commerce, comme le pesto ou le cari ou encore le bouillon de poulet, recherchez les produits ayant une liste d'ingrédients la plus courte possible et contenant des ingrédients que vous connaissez. Le produit sera alors moins transformé et sa valeur nutritive ressemblera davantage à celle des aliments que vous cuisineriez vous-même.

Pour pousser plus loin votre démarche santé, n'hésitez pas à consulter un diététiste/nutritionniste. Ce professionnel vous aidera à y voir plus clair et à adapter votre alimentation à votre style de vie.
**Ordre professionnel des diététistes du Québec:
1 888 393-8528 ou www.opdq.org**

Pour ajouter du goût

Lorsque vous planifiez vos achats, n'oubliez pas que les assaisonnements sont essentiels pour une cuisine rapide, car les aliments n'ont pas le temps de libérer toutes leurs saveurs comme ils le feraient dans un plat braisé ou longuement mijoté. Mais quels assaisonnements choisir? C'est la question que mes amies me posent le plus souvent en fouinant dans mon armoire à épices.

AU-DELÀ DU SEL

Les Canadiens ont la dent salée et c'est souvent plus simple d'ajouter une pincée de sel pour corriger un plat un peu fade que de chercher quel assaisonnement sera le plus approprié pour votre recette.

Je vous propose plutôt de découvrir l'univers des herbes et des épices. Des herbes fraîches, du poivre, du cumin, du piment fort, du cari… le choix est grand! Lorsque vous cuisinerez les recettes de ce livre, commencez par ajouter les herbes et les épices, goûtez et ajoutez du sel uniquement, si c'est nécessaire, à la toute fin de la cuisson. Je préfère souvent poivrer généreusement et je n'ajoute qu'une pincée de sel dans toute la recette. Ma famille est habituée ainsi.

Chez moi, il n'y a pas de salière sur la table pendant le repas, mais parfois un mortier avec certaines des épices utilisées dans la recette. Chacun rehausse son plat à son goût.

Le but n'est pas de bannir le sel, mais d'apprendre à assaisonner autrement.
Une alimentation trop riche en sodium (plus de 2 400 mg par jour) peut augmenter la pression artérielle, en plus d'augmenter les risques de maladies du cœur, des reins et d'ostéoporose chez certaines personnes.

ACCRO AU SEL?

Le goût du sel crée une sorte d'accoutumance. À force de manger toujours très salé, on ne goûte plus le sel et on doit augmenter la dose pour être satisfait.

De 9 à 50 ans, l'apport adéquat en sodium est de 1 500 mg par jour et l'apport maximal jugé sécuritaire par Santé Canada est de 2 300 mg. Selon Statistique Canada, les Québécois ingèrent le double de l'apport recommandé[13]. En tête, les hommes de 14 à 30 ans, qui consomment 4 100 mg de sodium par jour, soit trois fois l'apport adéquat.

Les soupes et les potages commerciaux, les poissons fumés, la sauce soya, les grignotines, les croustilles, les dîners surgelés, les charcuteries et les vinaigrettes sont souvent plus riches en sel qu'on ne le pense. Consommez ces aliments avec modération et privilégiez les fines herbes, les épices, les agrumes, les vinaigres et les piments pour donner du goût à vos recettes.

13 Voir références p. 232

ACCORDS PARFUMÉS

Poivre, thym et basilic... Avez-vous remarqué qu'on a tendance à toujours utiliser les mêmes assaisonnements dans nos recettes? En fin de compte, on retrouve le même goût d'un plat à l'autre. Choisissez une seule herbe ou épice et mettez-en plus. Essayez les mariages suivants, question de réveiller un peu vos papilles!

Utilisez un peu de...	Dans les plats de...
Aneth	Pommes de terre
Menthe	Agneau
Origan	Œufs
Romarin	Aubergine
Carvi	Viande hachée
Cumin	Poisson
Gingembre	Bœuf
Safran	Riz

LES CLICHÉS

Il n'y a rien de mal à miser sur les classiques, et lorsque vous aurez plus d'assurance en cuisine, vous pourrez réinventer la roue. En attendant, sachez que les assaisonnements suivants constituent des valeurs sûres selon l'origine du mets:

- **Indien:** cari, garam massala, lait de coco
- **Mexicain:** cumin, coriandre, piment fort, citron
- **Marocain:** cumin, cannelle, menthe, fruits séchés
- **Italien:** basilic, origan, ail, vinaigre balsamique
- **Asiatique:** gingembre, miel, sauce soya, sésame
- **Français:** herbes de Provence, ail, moutarde de Dijon ou de Meaux

POUR DÉNICHER LES PETITS BIJOUX...

Si vous êtes comme moi, vous faites probablement vos courses «à la course» et ce sont presque toujours les mêmes produits qui se retrouvent dans votre panier. Pour briser cette routine sans passer trois heures au supermarché, j'essaie d'acheter chaque semaine un condiment que je ne connais pas. Ça ne coûte que quelques dollars de plus et je fais ainsi de belles découvertes!

Regardez en haut ou en bas des tablettes. Celles à la hauteur des yeux sont souvent réservées aux meilleurs vendeurs, comme le ketchup et la mayonnaise. Les condiments indiens, les moutardes fines et les vinaigres aromatisés sont parfois moins visibles.

Une fois par mois, allez dans un marché ethnique. À Montréal et dans plusieurs autres villes du Québec, il est possible de trouver des épiceries asiatiques, haïtiennes et même sri lankaises! Posez des questions au personnel de ces épiceries spécialisées et au retour à la maison, fouinez sur Internet pour découvrir comment utiliser votre trouvaille.

Les indispensables

Pour cuisiner sainement et rapidement, garnissez votre garde-manger et votre réfrigérateur de plusieurs aliments indispensables. Une cuisine bien garnie, c'est toujours plus inspirant lorsqu'on arrive du travail épuisé et affamé.

En ayant toujours ces aliments sous la main, vous ne serez jamais pris au dépourvu. Un simple coup d'œil à votre frigo et plusieurs idées de repas sains vite faits vous viendront à l'esprit !

LES INDISPENSABLES DU GARDE-MANGER...

- Pâtes alimentaires, riz, couscous de blé entier, nouilles asiatiques, orge
- Conserves de thon, de saumon, de palourdes, de crabe
- Légumineuses en conserve : haricots rouges, noirs, blancs, pois chiches, lentilles, haricots mélangés

- Condiments : vinaigres aromatisés, huile d'olive ou de canola, huile de sésame, sauce piquante (de type Tabasco), sauce soya, vinaigre (balsamique, de riz, de cidre, de vin rouge ou blanc)
- Tomates étuvées en conserve, sauce tomate, pâte de tomates, jus de tomates
- Bouillon de poulet et de bœuf à teneur réduite en sodium (contenant de carton)
- Herbes et épices : herbes de Provence, fines herbes séchées (thym, origan, basilic...), cari, cumin, curcuma, cannelle, flocons de piment fort, poivre...
- Olives de différentes variétés, conservées dans l'huile
- Sucre, miel liquide, cassonade
- Fécule de maïs
- Fruits séchés : dattes, raisins secs, abricots, figues, canneberges
- Beurre d'arachide
- Pommes de terre, oignons

LES INDISPENSABLES DU CONGÉLATEUR...

- Légumes mélangés surgelés
- Fruits surgelés
- Viandes parées ou précoupées : poitrines de poulet, filets de porc, tournedos de bœuf, escalopes de veau...
- Poissons et fruits de mer : darnes de saumon, filets de truite, crevettes décortiquées, aiglefin surgelé, pétoncles...
- Croûte à pizza de blé entier, pâtes alimentaires farcies

LES INDISPENSABLES DU FRIGO...

- Fruits et légumes frais de toutes sortes
- Citrons et limes
- Variété de fromages : cheddar, provolone, mozzarella, suisse, parmesan, de chèvre...
- Lait et yogourt nature
- Beurre ou margarine, mayonnaise du commerce
- Condiments : ail (frais ou haché en pot), gingembre (frais ou haché en pot), moutarde de Dijon, pesto, raifort (en crème ou haché en pot), pâte de cari, chutney de mangue, câpres... Ces aliments ajoutent du goût et transforment rapidement une simple viande grillée en un repas délicieux.
- Noix et graines : Grenoble, amandes, noisettes, tournesol, sésame... Les noix se conservent plus longtemps au frigo ou même au congélateur.
- Œufs
- Pains, bagels, pitas, tortillas, pâtes fraîches, son de blé...

Le bar à pâtes

Une multitude de repas rapides et variés peuvent être créés à partir d'un simple pot de sauce tomate du commerce. Vous ne verrez plus le spaghetti de la même façon!

À L'ITALIENNE...

Dans une poêle antiadhésive, faites revenir un oignon émincé dans un peu d'huile. Ajoutez de l'ail, des poivrons, des courgettes vertes et des lanières de prosciutto et poursuivez la cuisson. Ajoutez ensuite la sauce tomate, des flocons de piment fort et du pesto. Servez sur des pâtes courtes et garnissez de copeaux de parmesan.

À LA MEXICAINE...

Dans une poêle antiadhésive, faites revenir un oignon émincé et du bœuf haché. Assaisonnez de cumin, de poivre et de poudre de chili. Ajoutez une branche de céleri et un poivron vert hachés, et poursuivez la cuisson avant de compléter avec un pot de sauce tomate et une boîte de haricots rouges rincés et égouttés. Laissez mijoter quelques minutes et ajustez les assaisonnements. Vous obtiendrez ainsi un chili con carne! Servez avec des croustilles de maïs cuites au four.

DE LA MER...

Dans une poêle antiadhésive, faites revenir un oignon émincé dans un peu d'huile. Ajoutez de l'ail et des champignons tranchés, et poursuivez la cuisson. Ajoutez un peu de vin blanc et un mélange de fruits de mer surgelés ou simplement des crevettes et des pétoncles. Versez un pot de sauce tomate et faites cuire jusqu'à ce que les fruits de mer soient chauds. Attention de ne pas trop les cuire, sinon ils seront caoutchouteux. Servez sur des vermicelles.

À LA GRECQUE...

Dans une poêle antiadhésive, faites revenir un oignon rouge émincé dans un peu d'huile. Ajoutez de l'ail, des lanières de poulet et poursuivez la cuisson à feu vif jusqu'à ce que le poulet soit doré. Ajoutez un pot de sauce tomate, des olives Kalamata dénoyautées, de l'origan frais haché et du poivre frais moulu. Servez sur des pâtes courtes et garnissez de fromage feta émietté.

ROSÉE...

Dans une poêle antiadhésive, faites revenir un oignon émincé dans un peu d'huile. Ajoutez de l'ail, des lanières de poulet et poursuivez la cuisson à feu vif jusqu'à ce que le poulet soit doré. Ajoutez des champignons tranchés, et poursuivez la cuisson quelques minutes. Terminez en versant un pot de sauce tomate et de la crème 15 % pour cuisson, au goût. Poivrez généreusement et servez sur des tortellinis ou d'autres pâtes farcies.

DU SUD-OUEST...

Dans une poêle antiadhésive, faites revenir un oignon émincé dans un peu d'huile. Ajoutez des lanières de porc, faites cuire 5 minutes en remuant, égouttez le gras et ajoutez des poivrons en lanières, du maïs en grains et du céleri tranché en biseaux. Assaisonnez d'épices Cajun (mélange du commerce) et d'un généreux trait de sauce piquante (de type Tabasco). Servez sur des pâtes de votre choix.

À LA MAROCAINE...

Dans une poêle antiadhésive, faites revenir un oignon émincé dans un peu d'huile. Ajoutez des carottes tranchées et du navet en petits dés. Faites cuire 5 minutes à feu moyen-vif avant d'ajouter un pot de sauce tomate et une boîte de pois chiches rincés et égouttés. Assaisonnez généreusement de thym, de cumin, de coriandre moulue et d'une pincée de piment de Cayenne. Laissez mijoter jusqu'à ce que le navet soit tendre. Servez sur du couscous de blé entier.

Variations sur un même thème

Pour cuisiner rapidement, il est toujours bon de maîtriser quelques classiques. Les pâtes, pizzas, sautés et omelettes sont de bons dépanneurs. Vous n'avez qu'à changer quelques ingrédients d'une fois à l'autre et ce ne sera jamais répétitif. D'une seule recette de base peuvent surgir des dizaines de variantes. Et plus on refait la même recette, plus on devient habile. Vous gagnerez du temps sans laisser tomber la saveur et la variété.

SAUTÉ ASIATIQUE

Dans un wok, faites revenir un oignon émincé dans un peu d'huile. Ajoutez des lanières de poulet ou de bœuf, des crevettes, des pétoncles ou des cubes de tofu mariné. Sautez le tout quelques minutes à feu vif et égouttez le gras si nécessaire. Ajoutez une variété de légumes coupés: carotte, céleri, pois mange-tout, zucchini, poivron, brocoli... Pour briser la monotonie, ajoutez des fèves germées, des châtaignes d'eau tranchées (en conserve), des épis de maïs miniatures, des pousses de bambou (en conserve) ou des champignons shiitake ou enoki. Poursuivez la cuisson quelques minutes et ajoutez les assaisonnements de votre choix: sauce hoisin, sauce aux huîtres, sauce soya, sauce piquante, cari thaï, huile de sésame, miel, gingembre frais, coriandre, basilic thaï... Improvisez!

FAJITAS

Voilà un autre repas facile et rapide. Dans une poêle striée, faites sauter quelques minutes à feu vif un oignon rouge émincé et des lanières de bœuf, de poulet ou de veau. Ajoutez des poivrons colorés en lanières. Faites cuire quelques minutes à feu vif, réduisez à feu doux et ajoutez de la salsa mexicaine du commerce. Garnissez des tortillas de cette préparation et ajoutez les condiments de votre choix: guacamole (purée d'avocat), crème sure, salsa, haricots noirs en purée, fromage râpé, fromage à la crème, sauce piquante... Olé!

FRITTATA

La frittata est une quiche sans croûte cuite au four. Mélangez deux œufs par personne avec un peu de lait, du sel, du poivre et des fines herbes. Versez dans un plat allant au four et ajoutez les garnitures. Choisissez d'abord une source de protéines: du jambon, du saumon, des crevettes, du poulet cuit, du thon égoutté... Ajoutez ensuite des légumes: des asperges, des épinards, des fleurons de brocoli, des tranches de tomate... Complétez avec du fromage râpé: mozzarella, parmesan, gouda, emmenthal, oka... Faites cuire le tout au four à 180 °C (350 °F) jusqu'à ce que le dessus soit doré et que le centre soit ferme. Coupez en pointes et servez avec une salade verte.

Une cuisine bien équipée

Je ne suis pas très gadget. Une planche à découper, de bons couteaux, quelques poêlons, et je me débrouille. Mais il y a quand même quelques *basics* qui simplifient la vie!

- Deux planches: une en bois pour les légumes et le pain et une en plastique ou en verre pour la viande (idéalement de dimensions et matériaux allant au lave-vaisselle)
- Au moins deux bons couteaux: un couteau du chef (gros) et un couteau d'office (petit). Un troisième, le couteau à dents, est pratique pour trancher le pain croûté
- Un couteau économe (éplucheur à légumes)
- Une râpe à fromage
- Une tasse graduée pour mesurer les liquides
- Un jeu de cuillères et de tasses à mesurer pour les ingrédients secs
- Des ustensiles de cuisine et de service: spatule, louche, cuillères en bois, fouet, pinceau de cuisine, ciseaux de cuisine, pinces de service, cuillères à trous
- Un pilon pour pommes de terre
- Des bols à mélanger (culs-de-poule)
- Quelques plaques de cuisson, une grille
- 3 casseroles avec couvercles (petite, moyenne et grande)
- 3 poêles antiadhésives: une moyenne, une à hauts rebords (de type wok) et une striée
- Un panier de bambou ou une marguerite pour la cuisson à la vapeur

- Une passoire pour égoutter les pâtes et rincer les légumineuses
- Des contenants de plastique à fermeture hermétique pour les restes de table
- Du papier aluminium, du papier parchemin et de la pellicule de plastique
- Un ouvre-boîte
- Une essoreuse à laitue, ou quelques bons linges de cuisine propres
- Un mélangeur électrique (le fameux « *blender* ») ou un mélangeur à main
- Une minuterie, si celle de votre four n'est pas fiable ou si elle a rendu l'âme
- Une paire de mitaines pour le four et quelques sous-plats, pour servir les plats au centre de la table, la façon la plus conviviale qui soit.

Vous croyez que manger santé coûte cher? Je dirais que les équipements inutiles coûtent bien plus cher. Au lieu de dépenser des dizaines de dollars sur des bidules qui vont encombrer votre cuisine, garnissez votre frigo d'aliments frais et de qualité.

La mandoline, la balance électronique et le moulin à épices... Voilà des articles plus coûteux, mais quand même pratiques. Je m'en suis passée pendant des années, mais maintenant que je les ai, je ne pourrais pas m'en séparer.

Indispensables ou superflus, à vous de décider!

Le temps, c'est de l'argent

Lorsque chaque minute compte, les aliments précoupés peuvent faire toute la différence.

Il n'y a pas de règle. Parfois ça vaut le coup, parfois non[14]. Dans le cas des viandes, j'opte régulièrement pour ce qui est désossé. Pour les légumes, je me préoccupe aussi des emballages. Les légumes précoupés sont souvent vendus dans des barquettes non recyclables et emprisonnés sous une épaisse pellicule de plastique. En n'optant qu'exceptionnellement pour des aliments suremballés, je tente de faire ma part pour l'environnement.

Tout dépend de vos propres habitudes. Si les légumes brillent par leur absence dans votre assiette et que le brocoli acheté la semaine dernière s'est retrouvé à la poubelle, les légumes précoupés seront une bonne solution pour vous. Sinon, réservez-les pour les périodes plus intenses de votre vie: la période des examens pour un étudiant, le temps des impôts pour un comptable, et le temps des Fêtes pour le père Noël!

Fromage
- Le fromage déjà râpé coûte deux fois plus cher que le fromage en brique. Cet achat peut valoir la peine pour une recette qui contient beaucoup de fromage comme une lasagne ou un gratin, quoiqu'en utilisant le robot culinaire, vous pouvez râper du fromage en un éclair!
- Le fromage parmesan Parmigiano-Reggiano en morceau revient à 2 $ de plus par 100 g que les parmesans râpés de moins bonne qualité. Offrez-vous le vrai de vrai et mettez-en moins dans vos recettes.

Viandes
- La poitrine de poulet désossée sans la peau coûte presque le double du prix au poids de la poitrine de poulet avec peau et os. À vous de choisir. Par contre, dites-vous que vous ne devriez pas payer pour la peau et les os alors que vous ne les consommez pas. À moins que vous conserviez la carcasse pour faire un bon bouillon maison...
- Surtout l'été, des épiceries proposent des brochettes de viande prêtes à griller, déjà enfilées sur des tiges de bambou avec des légumes. C'est environ 50 % plus cher que de tout faire soi-même, mais avouez que c'est un bon dépanneur!
- Les galettes de bœuf haché prêtes à griller coûtent deux fois le prix de la viande hachée maigre. Vous ne connaissez pas la qualité de la viande utilisée et ces galettes contiennent souvent des ingrédients superflus. Alors à moins de recevoir une armée pour souper, faites vos propres boulettes. Inspirez-vous des recettes de burger des pages 64 à 70.

Poissons et fruits de mer
- Les crevettes décortiquées ne sont que 25 % plus chères que les crevettes non décortiquées...

14 Voir références p. 232

À mon avis, l'économie ne vaut pas la peine dans ce cas-ci.

● Fait surprenant, le filet de saumon frais coûte 30 % moins cher que le saumon surgelé. Le frais sera probablement meilleur au goût et vous offrira plus de possibilités en cuisine. Et rien ne vous empêche de le congeler à la maison.

Légumes

● Le chou râpé, quelle belle invention ! Pour préparer une salade vite fait, il n'y a pas mieux. C'est deux fois plus cher que le chou entier, mais c'est tout de même très économique.

● Le poireau en sac déjà coupé en rondelles ne coûte que 5 % de plus que le poireau entier. Le poireau en sac est disponible à l'année et vous n'aurez pas à le parer. Mon conseil : en saison, achetez le poireau entier. Il proviendra du Québec et vous réduirez les emballages. Le reste de l'année, le poireau en sac ajoutera de la variété à vos sautés, gratins et potages.

● Les poivrons coupés en dés ou en lanières coûtent deux fois plus cher que les poivrons entiers. Même chose pour les légumes à « *stir fry* », les crudités et autres légumes qu'un employé du supermarché aura coupés pour vous.

● Certaines semaines, la laitue en sac déjà lavée et les mélanges de jeunes pousses (mesclun) sont vendus le même prix que les laitues entières qu'il faut laver et parer. Ça peut influencer votre décision de servir ou non une salade d'accompagnement. J'ai un parti pris...

Légumes surgelés

● L'hiver, les légumes surgelés reviennent souvent moins cher (de 25 % à 100 %) que les légumes frais. Ce sont habituellement des légumes de chez nous, même en plein mois de janvier, alors que tous les légumes frais sont importés. Saviez-vous qu'au Canada, ce sont les Québécois qui achètent le plus de légumes en conserve et le moins de légumes surgelés[15] ? Pourtant, les surgelés ont beaucoup évolué et sont maintenant de bonne qualité. Fini les macédoines molles qui goûtent le carton. La technologie permet maintenant une surgélation ultrarapide qui affecte peu le goût et la texture des aliments. Le légume peut être cueilli au summum de sa maturité, lorsqu'il a atteint son plein potentiel de saveurs et de nutriments. On le lave, on le coupe et on le surgèle dans les heures qui suivent la récolte. Rien à voir avec le brocoli « frais » qui a parcouru des milliers de kilomètres avant d'arriver dans nos supermarchés pendant les mois d'hiver.

15 Voir références p. 232

Simplifiez-vous l'épicerie!

Si les visites au supermarché représentent une corvée pour vous, voici quelques trucs pour vous faciliter la vie.

Il est plus économique et plus pratique de faire l'épicerie une seule fois par semaine. Si la cohue du samedi vous décourage, optez pour un soir de semaine. À l'heure des téléromans, les épiceries sont désertes! Tôt le matin ou tard le soir, les épiceries sont moins achalandées. Profitez également des heures d'ouverture prolongées.

Évitez de faire l'épicerie le ventre creux. Si vous êtes affamé, vous voudrez tout acheter! Vous risquez de faire des choix impulsifs et superflus. Au bout du compte, c'est votre portefeuille qui en souffrira.

Plutôt que de serpenter dans les allées de l'épicerie de la façon habituelle, commencez par les bordures du magasin. Elles présentent tous les produits qui sont à la base de l'alimentation. Ce sont souvent des produits frais et peu transformés, contrairement aux articles que l'on trouve dans les rangées centrales.

Tout autour des allées se trouvent les fruits et les légumes, les produits laitiers, les pains et produits de boulangerie, les viandes, volailles et poissons. Lorsque votre panier est rempli de ces aliments de base, vous pouvez terminer par les rangées et ajouter les aliments non périssables comme les jus, fruits et légumes en conserve, pâtes alimentaires, condiments, légumineuses, riz, céréales, grignotines et autres.

Rien ne vous empêche d'ajouter une boîte de biscuits ou un sac de croustilles, pourvu que l'essentiel de votre panier soit composé d'aliments frais et d'ingrédients inspirants pour cuisiner vos repas de la semaine.

AVANT DE PARTIR

Prenez la peine de déterminer les repas de la semaine et de dresser une liste d'épicerie. Ces quelques minutes de planification vous épargneront un temps précieux chaque soir lors de la préparation des repas.

Faites aussi le ménage de votre frigo chaque semaine. Planifiez des recettes à partir de ce que vous avez déjà sous la main. Un chou-fleur traîne dans le frigo depuis deux semaines? Cuisinez-le avant qu'il ne soit trop tard. Le gratin de chou-fleur aux crevettes de la page 104 est le candidat idéal.

Vous pouvez aussi planifier vos achats en fonction de la circulaire. En plus de repérer les rabais, les images seront une source d'inspiration.

Regroupez les aliments sur votre liste selon leur emplacement à votre supermarché ou selon leurs ressemblances. Les conserves ensemble, les fruits et les légumes ensemble, les produits surgelés ensemble. Combien de va-et-vient inutiles seront ainsi évités?

Congé de repas!

Voici quelques idées pour vous la couler douce le temps d'un repas. Une préparation minimale transformera ces idées en véritables festins et vous laissera beaucoup de temps pour faire la *dolce vita*!

À VOS BAGUETTES!
Passez par le comptoir à sushi au retour du boulot et offrez-vous une variété de makis et de sashimis pour emporter. Profitez-en pour acheter des soupes miso au tofu et assurez-vous d'avoir du thé vert à la maison.

PIQUE-NIQUE SUR LE GAZON OU DANS LE SALON?
Faites un petit détour au marché public ou dans une épicerie fine et achetez une baguette de pain, des charcuteries, fromages et terrines, des fruits frais et une bouteille de vin. À déguster à la bonne franquette!

AUX PETITS OIGNONS...
Informez-vous auprès des traiteurs de votre quartier. Ils préparent souvent des mets beaucoup plus nutritifs que les plats surgelés disponibles en épicerie. Calculez une dizaine de dollars par personne pour des plats franchement savoureux. Parfait si vous n'avez pas le temps de cuisiner un coq au vin ou un bœuf bourguignon.

TYPE POULET?
Le petit poulet chaud à l'épicerie est un bon dépanneur. C'est plus coûteux qu'un poulet qu'on fait cuire à la maison, et plus salé aussi, mais de temps en temps, ce n'est pas un mauvais choix. Complétez avec du pain chaud, de la sauce barbecue, de la salade de chou et un plateau de crudités du commerce.

AU DIABLE LA DÉPENSE!
En saison, les épiceries et les poissonneries offrent des homards cuits sur place. Pourquoi ne pas se gâter et déguster ce délicieux crustacé? Vous n'aurez qu'à dresser la table et à vous régaler. Complétez avec une salade vite faite et du vin blanc. N'oubliez pas la sauce cocktail et les quartiers de citron.

Bien manger au resto

Malgré tous les conseils de ce livre, vous n'avez vraiment pas le temps, ni l'énergie pour cuisiner ce soir? Allez donc au resto!

Il est vrai que manger au restaurant rime souvent avec grosses portions, friture, peu de fruits et de légumes, sauces riches, sel et desserts gigantesques. Mais si vous n'y allez pas souvent, offrez-vous ce qui vous plaît vraiment et mangez en laissant tomber toute culpabilité.

Si vous avez envie d'une sauce à la crème, de calmars frits, d'un plat gratiné ou d'un gâteau trois étages, prenez-les et savourez-les! Mangez lentement et apprenez à arrêter au bon moment. Les restaurateurs en mettront toujours plus dans l'assiette pour satisfaire le client. La grosseur des portions augmente d'année en année. Plus les assiettes sont grosses, plus on mange... sans même s'en rendre compte! Fiez-vous plutôt à votre estomac et non à la taille de la portion. Apprenez à en laisser dans l'assiette lorsque l'appétit n'est plus de la partie. Au resto, ce n'est pas évident. On veut souvent en avoir pour son argent... mais c'est un mauvais calcul.

POUR LES HABITUÉS

Si vous fréquentez les restos plusieurs fois par semaine, par affaires ou par plaisir, ces quelques astuces vous aideront à faire de meilleurs choix.

	Choisissez...	Oubliez...
Du resto de *fast-food*	Le hamburger régulier ou le burger de poulet grillé et la salade	Le hamburger double avec bacon ou le burger de poulet pané, la frite et la poutine, l'énorme boisson gazeuse
Du café du coin	Les sandwichs, les paninis et les salades, vinaigrette légère présentée séparément	Les croissants, les garnitures à base de mayonnaise, la salade César
Du vietnamien et du chinois	La soupe-repas, le riz vapeur, les viandes grillées, les rouleaux printaniers	Les rouleaux impériaux, les nouilles frites, le riz frit et le poulet General Tao
Du bar à sushi	Les makis et les sashimis	Le tempura
Du mexicain	Les fajitas et les burritos, garnis de salsa et de laitue	Les nachos et les tacos, le guacamole, la crème sure et le fromage fondu
Du bar à pâtes	Les sauces tomate ou à la viande préparées avec beaucoup de légumes	Les sauces crémeuses et Alfredo, le pain à l'ail
Du comptoir à sous-marin	Les wraps et les sous-marins de blé entier, garnis de viande maigre et de légumes, vinaigrette et mayonnaise en petite quantité	Les sous-marins garnis de Bologne, de salami, de saucisson, avec beaucoup de mayo, les accompagnements de croustilles et de biscuits!
Du libanais	L'assiette de shawarma ou de shish taouk, l'hoummos et le pita	La mayonnaise à l'ail, le tzatziki à base de crème sure et les falafels
Du bar à salade	La laitue, les crudités, les légumineuses, les œufs durs, le fromage, la vinaigrette légère en petite quantité	Les salades qui baignent dans l'huile
Du comptoir à pizza	La pointe de pizza végétarienne	La pizza complète toute garnie à croûte farcie!
De l'indien	Les salades de légumes, le poulet et les crevettes tikka et tandoori, les caris de légumes et les dals (plats à base de lentilles)	Le poulet au beurre, les beignets (friture), les plats en sauce riche

●●● 60 IDÉES EN 5 MINUTES

Voici 60 petits à-côtés qui apporteront une autre dimension à vos repas. Ce sont des idées toutes simples, des petites recettes que je prépare souvent à la dernière minute, en attendant que la cuisson de mon repas principal soit terminée. Certains sont de grands classiques que je fais à ma façon alors que d'autres sont nés dans ma cuisine.

Mon but est de vous inspirer en quelques minutes. Je ne vous donne ni les mesures ni la méthode précises, à moins que celles-ci ne soient essentielles. Improvisez et fiez-vous à votre pif. Goûtez à votre recette en cours de route et ajustez les assaisonnements. Partez de ce qu'il y a dans votre frigo et adaptez les recettes. Mes petits trucs deviendront alors les vôtres!

Pour ouvrir l'appétit

Vous avez envie d'un repas un peu plus élaboré? Ce n'est pas une raison pour vous éterniser devant les chaudrons! Voici des entrées pas compliquées, pour souligner une soirée spéciale ou simplement pour briser le ronron du quotidien. Et parfois, on a tellement faim qu'on peut commencer par l'entrée avant d'attaquer la préparation du repas principal.

BRUSCHETTA MAISON

Frottez une gousse d'ail sur des tranches de pain baguette et, à l'aide d'un pinceau, badigeonnez chaque tranche d'huile d'olive. Faites dorer le pain sous le gril du four (à *broil*). Pendant ce temps, dans un bol, mélangez 2 tomates mûries sur vigne (elles seront plus goûteuses) coupées en dés, un filet d'huile d'olive, quelques gouttes de vinaigre de vin et du basilic frais haché, au goût. Garnissez les croûtons de cette préparation et servez immédiatement.

SAUMON FUMÉ

Déposez de fines tranches de saumon fumé (à froid ou à l'ancienne) sur un lit de cresson. Ajoutez des rubans de concombre, obtenus à l'aide du couteau économe (éplucheur) en coupant le légume sur la longueur. Complétez avec de fines lamelles d'oignon rouge, quelques câpres, du jus de citron et un filet d'huile d'olive.

AVOCAT FARCI

Dans un bol, mélangez des crevettes nordiques cuites, un peu de crème sure, de la coriandre hachée finement, du sel et du poivre. Prélevez les suprêmes d'un pamplemousse rose (pour obtenir les segments sans la peau ni les membranes), puis coupez-les en dés et ajoutez-les au mélange. Goûtez et ajustez les assaisonnements si nécessaire. Farcissez le cœur d'avocats bien mûrs avec cette préparation. Calculez un demi-avocat par personne. Remplacez les crevettes par du crabe ou du homard en saison.

COCKTAIL DE CREVETTES

Dans un bol, mélangez du fromage frais (quark, labneh ou damablanc) à un peu de sauce chili ou cocktail. Fouettez à la fourchette jusqu'à l'obtention d'une préparation lisse et crémeuse. Ajoutez une généreuse pincée de piment d'Espelette (ou autre piment fort moulu, mais en moindre quantité). Déposez de jeunes pousses de roquette dans un verre à martini. Versez-y la sauce et complétez avec de grosses crevettes cuites décortiquées et un peu de ciboulette fraîche hachée finement.

PROSCIUTTO-MELON

Cette entrée est très simple à préparer et appréciée à tout coup. Alors pourquoi pas? Videz, pelez et coupez en quartiers un cantaloup bien mûr. Enroulez chaque morceau de melon d'une fine tranche de prosciutto. Pour réinventer ce classique, changez le cantaloup pour du melon miel, du melon canari ou encore des figues fraîches (en saison), des tranches de mangue ou de pêche.

GASPACHO

Au robot culinaire ou au mélangeur, réduisez en purée 1 boîte de tomates étuvées, 1/2 oignon rouge, 1 poivron rouge épépiné et coupé en quatre, 1 concombre pelé et coupé en tronçons, 1 bouquet de basilic, 2 gousses d'ail et un trait de sauce piquante (de type Tabasco). Conservez au froid jusqu'au repas. Pour servir, garnissez de basilic frais et de poivre concassé. Cette délicieuse soupe froide accompagne bien les grillades.

SALADE GRECQUE

Les légumes coupés en gros morceaux feront tout le succès de cette salade. Coupez d'épaisses tranches de concombre, une tomate en quartiers et un poivron rouge en gros dés. Ajoutez des olives Kalamata (dénoyautées si désiré), du fromage feta en dés et des feuilles d'origan frais. Terminez avec un filet d'huile d'olive, un peu de vinaigre de vin rouge et du poivre concassé. Le tour est joué!

CHÈVRE CHAUD

Tartinez généreusement d'épaisses tranches de pain aux noix avec du fromage de chèvre. Versez un filet d'huile d'olive et ajoutez quelques brins de romarin. Faites cuire sous le gril (à *broil*) jusqu'à ce que le fromage soit doré. Servez sur un lit de jeunes pousses d'épinard avec une vinaigrette légèrement sucrée, à base de miel ou de sirop d'érable.

TOMATES ET BOCCONCINI

Dans un grand bol, mélangez des tomates cerises coupées en deux, des bocconcini miniatures (de type cocktail ou perle), du basilic frais haché, de la menthe fraîche hachée, de l'huile d'olive et quelques gouttes de vinaigre de vin blanc. Mélangez délicatement, servez dans des verres à apéro et garnissez d'une pincée de fleur de sel et d'un peu de poivre fraîchement moulu.

MEZZE À LA LIBANAISE

Coupez des pains pitas en pointes à l'aide de ciseaux. Placez-les dans un plat de service allant au four et chauffez-les 3 ou 4 minutes à 200 °C (400 °F). Pendant ce temps, garnissez une assiette creuse d'hoummos (purée de pois chiches) ou de baba ganoush (purée d'aubergines) du commerce. Arrosez d'un filet d'huile d'olive et saupoudrez de paprika. Servez avec des olives marinées et les pointes de pitas chaudes.

SALADE AUX DEUX RAISINS

Dans un grand bol, mélangez de jeunes pousses de laitue (mesclun), des raisins rouges coupés en deux, des raisins secs dorés, des noisettes rôties à sec (ou autre noix, au goût) et des cubes d'un fromage québécois à pâte demi-ferme comme le Fredondaine de l'Abitibi, le Baluchon de la Mauricie ou le Sieur Corbeau des Laurentides. Complétez avec une douce vinaigrette à base de vinaigre de cidre, de sirop d'érable et d'huile de noisette.

TARTARE DE THON

Coupez du thon rouge bien frais en petits dés et placez-les dans un bol. Ajoutez un filet d'huile d'olive, un peu de moutarde de Dijon, de l'oignon vert finement haché, des câpres, une pincée de piment fort en flocons, du sel et du poivre. Mélangez, transvidez dans de petits verres et servez immédiatement ou conservez au réfrigérateur. Accompagnez ce tartare de croûtons de pain baguette (voir méthode à la page 48). Vous pouvez remplacer le thon par du saumon. Mentionnez à votre poissonnier que c'est pour manger cru; il choisira sa pièce en conséquence et retirera la peau pour vous.

SALADE DE FENOUIL

Émincez un bulbe de fenouil (partie blanche seulement, conservez les tiges pour une autre recette). Dans un grand bol, mélangez le fenouil, un pamplemousse rose, un pamplemousse blanc et une grosse orange, pelés à vif (pour obtenir les segments sans la peau ni les membranes). Ajoutez 15 ml (1 c. à soupe) de yogourt nature, la même quantité de jus d'orange et 5 ml (1 c. à thé) de moutarde de Dijon. Assaisonnez d'un peu de sel, de poivre et de graines de carvi.

ESCARGOTS À L'AIL

Dans une poêle antiadhésive bien chaude, versez un filet d'huile d'olive, 2 gousses d'ail hachées finement et 200 g (7 oz) de gros escargots en conserve, rincés et égouttés. Faites revenir à feu vif pendant 3 à 4 minutes, garnissez de fromage parmesan fraîchement râpé et de quelques flocons de fleur de sel, et servez aussitôt avec des tranches de pain baguette.

CEVICHE DE PÉTONCLES

Coupez des pétoncles crus en petits dés. Dans un bol, mélangez-les avec du jus de lime, une échalote française, du poivron jaune et une généreuse portion de coriandre fraîche, le tout haché finement. Ajoutez un trait de sauce piquante (de type Tabasco), du sel et du poivre. Laissez reposer deux minutes, égouttez et servez. Dans un ceviche classique, le poisson marine environ une heure dans le jus de lime. Choisissez des pétoncles très frais et mentionnez à votre poissonnier qu'ils seront consommés pratiquement crus.

HALLOUMI GRILLÉ

Le halloumi est un fromage à pâte demi-ferme, à saveur douce et salée. Ce fromage, produit sur l'île de Chypre dans la Méditerranée, cuit sans couler. Vous

pouvez donc le faire dorer sur le barbecue, sans craindre de le retrouver sur les briquettes! Faites-le aussi griller dans une poêle antiadhésive. Servez-le encore grésillant sur un lit de mesclun garni de fruits frais comme des figues ou des fraises. Il existe des fromages de type halloumi fabriqués au Québec. Vous pouvez aussi le remplacer par un autre fromage à griller comme le Doré-mi.

SALSA

Dans un bol, mélangez des grains de maïs surgelés avec du poivron rouge, du concombre et des tomates, le tout coupé en petits dés. Assaisonnez avec un filet d'huile d'olive, du jus de citron, du cumin moulu (allez-y généreusement!) et un trait de sauce piquante (de type Tabasco). Ajustez l'assaisonnement au goût. Servez avec des pointes de tortillas grillées ou des croustilles de maïs cuites au four.

FOCCACIA

Préchauffez le four à 230°C (450°F). Hachez finement quelques tomates séchées conservées dans l'huile. Prélevez un peu d'huile provenant des tomates et badigeonnez le pain foccacia. Ajoutez les morceaux de tomates et quelques copeaux de parmesan. Faites cuire au four environ 3 minutes. Le pain sera chaud, mais encore moelleux. Servez à l'apéro. On trouve le pain foccacia, à mi-chemin entre la pâte à pizza et le pain croûté, dans les boulangeries et dans plusieurs épiceries.

SALADE D'ORANGES

Pelez une orange à vif et tranchez-la en minces rondelles. Disposez-les dans une assiette de façon à former une fleur. Garnissez d'olives noires séchées au soleil, idéalement dénoyautées. Pour cette recette, il vous faut des olives dans l'huile: évitez les olives en conserve dans l'eau ou dans la saumure. Complétez la salade en ajoutant un filet d'huile d'olive, de la cannelle, un peu de sel et de poivre noir concassé. Si vous n'aimez pas la cannelle, remplacez-la par du cumin moulu. Le résultat sera différent, mais tout aussi savoureux.

CARPACCIO

Demandez à votre boucher qu'il vous prépare de fines tranches de bœuf pour un carpaccio. La fraîcheur et la qualité de la viande feront toute la différence. Déposez les tranches dans le fond d'une assiette sans trop les superposer. Parsemez de fleur de sel et de poivre concassé. Ajoutez une poignée de roquette au centre. Arrosez le tout d'un filet d'huile d'olive, de quelques gouttes de vinaigre balsamique et de copeaux de parmesan. Un délice à l'italienne!

Bons à marier

Pendant que votre viande grésille ou que votre riz prend un bain de vapeur, profitez-en pour ajouter des légumes à votre repas. N'ayez pas peur, ils ne vous mordront pas ! En revanche, vous pourrez les croquer à belles dents. Privilégiez les légumes frais en saison, sans pour autant bouder les légumes surgelés ou précoupés. Ce sont d'excellents complices pour ajouter de la vie à votre assiette sans passer un temps fou à laver, peler et trancher les légumes frais. Il n'y a que les légumes en conserve qui ne se retrouvent pas souvent dans mon panier au supermarché.

PETITS POIS À L'INDIENNE

Dans une poêle, faites revenir à feu vif dans un peu d'huile un oignon haché, 5 ml (1 c. à thé) de graines de cumin entières et 2,5 ml (1/2 c. à thé) de cari. Ajoutez 500 ml (2 tasses) de pois verts surgelés, 60 ml (1/4 tasse) d'eau et 5 ml (1 c. à thé) de sucre. Cuire à feu vif à découvert jusqu'à ce que les pois soient tendres et l'eau, évaporée. Salez, poivrez et dégustez.

ASPERGES GRILLÉES

Dans une grande poêle antiadhésive, faites revenir des asperges à feu vif dans un peu d'huile en les retournant régulièrement. Lorsque les asperges sont grillées, mais encore fermes, ajoutez un trait de sauce soya et de jus de citron. Servez immédiatement.

TRIO DE POIVRONS AU VINAIGRE BALSAMIQUE

Coupez des poivrons rouges, orange et jaunes en juliennes. Dans une poêle antiadhésive, faites revenir les poivrons à feu vif dans un peu d'huile d'olive et d'ail haché pendant 2 à 3 minutes. Lorsque les poivrons sont cuits, mais encore croquants, ajoutez un trait de vinaigre balsamique. Laissez cuire une minute de plus et servez avec des copeaux de parmesan.

SALADE DE CAROTTES À LA MAROCAINE

Dans un grand bol, mélangez un sac de carottes déjà râpées, un filet d'huile d'olive, le zeste et le jus d'une orange, une généreuse poignée de coriandre fraîche hachée, du cumin, de la cannelle, un peu de sucre, une pincée de piment fort en flocons et une pincée de sel. Laissez reposer 2 minutes avant de servir. Si désiré, ajoutez des raisins secs et des noix de pin grillées.

FLEURONS DE BROCOLI AU SÉSAME

Coupez un brocoli en petits fleurons d'au plus 2,5 cm (1 po) de diamètre. Mettez les fleurons dans une casserole contenant un peu d'eau salée, couvrez et portez à ébullition. Dès que l'eau bout, retirez du feu, égouttez et ajoutez une vinaigrette au sésame (du commerce) ou une vinaigrette maison à base d'huile de sésame, de miel et d'un peu de vinaigre de riz. Faites revenir dans la casserole une minute à feu vif. Saupoudrez de graines de sésame grillées au moment de servir.

LÉGUMES À L'ASIATIQUE

Dans un wok ou une poêle à hauts rebords, faites chauffer un peu d'huile puis mettez-y des légumes surgelés (mélange asiatique) et des châtaignes d'eau tranchées et égouttées (facultatif). Faites revenir 4 minutes à feu vif. Ajoutez un trait de sauce soya et de miel, et quelques gouttes d'huile de sésame grillé. Faites revenir une minute de plus et servez.

L'INCONTOURNABLE SALADE

Plus souvent qu'autrement, mes repas sont accompagnés d'une salade verte. Pas de cuisson, peu de manipulation. J'adore! Prenez un mesclun (mélange de jeunes pousses de laitue) et garnissez-le de tomates cerises, de tranches de concombre libanais et de gros croûtons ou laissez aller votre créativité en ajoutant du chou rouge haché, des carottes râpées, des poivrons en dés, des fèves germées, du céleri ou même des fruits. Il n'y a pas de limite! Agrémentez le tout avec votre vinaigrette préférée ou simplement un filet d'huile d'olive et de vinaigre de vin, de cidre ou balsamique.

CARPACCIO DE COURGETTES

Coupez une courgette jaune ou verte (zucchini) en tranches, le plus finement possible (la mandoline pourrait vous être bien utile si vous en avez une). Disposez les tranches dans une assiette, versez un filet d'huile d'olive, ajoutez une pincée de fleur de sel et poivrez généreusement. Garnissez de menthe fraîche finement ciselée. Vous pouvez remplacer la menthe par du basilic, du thym citronné ou de l'origan. Essayez aussi des combinaisons de plusieurs herbes fraîches.

LÉGUMES VAPEUR PARFUMÉS

Mettez des légumes surgelés (mélange au choix) dans une casserole contenant environ 2,5 cm (1 po) de bouillon de poulet à teneur réduite en sodium, une branche de thym frais et une gousse d'ail écrasée. Couvrez et portez à ébullition. Calculez 2 à 3 minutes (selon la taille des légumes), puis retirez du feu et égouttez. Au moment de servir, ajoutez un filet d'huile d'olive et un trait de jus de citron sur les légumes.

COURGETTES GRILLÉES

Coupez des courgettes jaunes ou vertes (zucchinis) en fines tranches sur le sens de la longueur. Placez les tranches sur une plaque de cuisson doublée de papier parchemin. À l'aide d'un pinceau pour la cuisine, badigeonnez-les d'un peu d'huile d'olive. Saupoudrez ensuite d'un mélange d'épices à la marocaine (du commerce) ou d'un mélange maison composé de cumin, de fenugrec, de grains de coriandre, de poivre et de cannelle, au goût. Faites cuire sous le gril (à *broil*) pendant 3 minutes, la grille du four à la position du haut.

TOMATES CERISES POÊLÉES

Dans une poêle à hauts rebords, chauffez de l'huile d'olive à feu moyen. Ajoutez une gousse d'ail hachée et environ 500 ml (2 tasses) de tomates cerises équeutées. Faites sauter en remuant continuellement les tomates. Elles ramolliront légèrement et développeront toutes leurs saveurs. Garnissez de basilic ciselé et de copeaux de parmesan et servez immédiatement. Salez et poivrez si vous le souhaitez, mais personnellement, je les aime comme ça!

MINI BOK CHOY À L'ORANGE

Dans un wok ou une poêle à hauts rebords, faites revenir à feu vif dans un peu d'huile, un oignon rouge émincé, des bok choy miniatures coupés en quatre et du gingembre râpé, au goût. Après 2 minutes de cuisson, ajoutez le zeste et le jus d'une orange. Poursuivez la cuisson 1 ou 2 minutes et servez aussitôt.

BETTE À CARDE

Séparez les tiges et les feuilles de bette à carde à l'aide d'un couteau. Émincez les tiges et hachez grossière-ment les feuilles. Dans une poêle antiadhésive, sautez à feu vif dans un peu d'huile, 1/4 d'oignon rouge émincé et les tiges de bette à carde. Remuez continuellement. Au bout de 2 minutes, ajoutez 5 ml (1 c. à thé) de vinai-gre de vin rouge, la même quantité de moutarde de Dijon et les feuilles de bette à carde. Remuez et poursuivez la cuisson 1 minute avant de servir.

HARICOTS AUX AMANDES

Placez des haricots verts ou jaunes, équeutés de préférence, dans une casserole contenant environ 2 cm (1 po) d'eau salée, couvrez et portez à ébullition. Dès que l'eau bout, retirez du feu, égouttez et ajoutez une noix de beurre et un trait de jus de citron. Garnissez d'amandes effilées et servez aussitôt.

CAROTTES VICHY

À la mandoline, coupez des carottes en fines tranches. Dans une casserole, mettez les carottes, un peu de sucre, une pincée de sel, une noix de beurre et de l'eau, jusqu'à la moitié des carottes. Couvrez, portez à ébullition et faites cuire à feu vif environ 4 minutes. Au moment de servir, vous pouvez ajouter du cerfeuil.

CHAMPIGNONS SAUTÉS À L'AIL

Chauffez de l'huile à feu vif dans une grande poêle. Ajoutez 500 ml (2 tasses) de champignons coupés en gros morceaux, de la variété de votre choix, et

2 gousses d'ail haché. Osez troquer le champignon blanc contre des portobellos, des shiitakes ou des pleurotes. Vous pouvez aussi opter pour des collybies (ou enokitake). Faites sauter les champignons 2 à 3 minutes à feu vif en évitant de les remuer. Avant de servir, salez, poivrez et égrainez une tige de thym.

RAPINIS À L'AIL

Coupez les parties dures à la base du rapini. Si désiré, pelez les plus grosses tiges. Tranchez l'ail en fines lamelles. Dans une poêle à hauts rebords, mettez un peu d'huile d'olive, l'ail tranché et le rapini. Couvrez et faites « tomber » le rapini à feu moyen-vif pendant 2 à 3 minutes. Les tiges seront encore croquantes et les feuilles seront parfaitement cuites. Poivrez et servez tel quel ou arrosez de votre vinaigrette préférée. Se mange chaud ou tiède.

SALADE DE CHOU

Dans un grand bol, mélangez un sac de chou vert râpé, un sac de carottes râpées, 60 ml (1/4 tasse) de vinaigrette italienne légère (du commerce), 30 ml (2 c. à soupe) d'eau et la même quantité de vinaigre blanc. Ajoutez 5 ml (1 c. à thé) de sucre et mélangez. Servez immédiatement pour une salade croquante ou laissez reposer au frigo pour une salade plus tendre.

SALADE DE CONCOMBRE À L'ANETH

Dans un grand bol, mélangez de la crème sure allégée, une généreuse portion d'aneth haché, du poivre concassé et une pincée de sel. Ajoutez des rubans de concombre, obtenus en le râpant sur la longueur avec un couteau économe (éplucheur). Mélangez pour bien enrober les rubans de concombre et servez. Vous pouvez aussi couper le concombre en deux, enlever le cœur à l'aide d'une cuillère et trancher finement la chair.

POIS MANGE-TOUT LUSTRÉS

Dans une poêle antiadhésive, faites sauter à feu vif des pois mange-tout (équeutés de préférence) dans un filet d'huile pendant 2 minutes. Ajoutez un peu de miel et remuez pour bien enrober. Les pois mange-tout doivent être encore croquants. Salez, poivrez et servez aussitôt.

Pour terminer en beauté

Qui a le temps de cuisiner un gâteau un soir de semaine? Ça ne veut pas dire qu'il faut se priver de dessert pour autant. Ceux qui me connaissent bien le savent: j'adore terminer le repas sur une note sucrée et encore plus lorsque c'est du chocolat! Un tout petit carré de chocolat noir que je laisse fondre dans ma bouche après un bon repas, ça me comble. Et celui qui voudra me convaincre qu'on ne peut à la fois manger santé et s'offrir des petits plaisirs sucrés devra se lever tôt! Voici donc mes gourmandises préférées.

CRÊPE FARCIE AUX FIGUES

Prenez une crêpe bretonne du commerce. Elles sont généralement vendues pliées en quatre. Ouvrez-la simplement en deux et appliquez de la tartinade aux figues sans sucre ajouté (ou une autre tartinade de fruits). Placez la crêpe farcie dans une assiette de service allant au four, chauffez sous le gril (à *broil*) pendant 2 minutes et servez immédiatement avec une boule de yogourt glacé à la vanille.

GÂTEAU DES ANGES AU MOKA

Coupez une pointe de gâteau des anges du commerce et garnissez-la de yogourt au moka ou au café. Décorez de copeaux de chocolat noir et de framboises fraîches. Servez immédiatement. Un délice pour les yeux et les papilles!

SMOOTHIE

Au mélangeur électrique, réduisez en purée des quantités égales de fruits frais ou surgelés, de yogourt nature ou aux fruits et de lait, jusqu'à l'obtention d'une préparation onctueuse. Ajoutez quelques glaçons et mélangez de nouveau. Versez dans des verres et dégustez. Les mangues, les ananas, les pêches et les petits fruits sont les parfaits compagnons des smoothies.

BANANA SPLIT

Dans une coupe à dessert, placez une boule de yogourt glacé à la vanille, ajoutez des tranches de banane, un peu de tartinade aux fraises et des morceaux d'ananas frais ou surgelés (préalablement décongelés au four à micro-ondes). Terminez avec des copeaux de chocolat noir. Une gâterie qui ne passera pas inaperçue!

COMPOTE DE FRUITS MINUTE

Au mélangeur électrique, réduisez en purée une pomme pelée et d'autres fruits, selon ce que vous avez sous la main: des ananas, des fraises, des pêches... Actionnez le mélangeur jusqu'à ce que la purée soit bien lisse et servez dans une coupe avec un biscuit au beurre ou à l'avoine.

TREMPETTE À LA MENTHE

Dans un bol, mélangez du yogourt nature avec un peu de miel, de la menthe fraîche ciselée et du gingembre frais râpé. Ajustez les ingrédients au goût. Servez en trempette avec des cubes de fruits frais (melon, fraises, pomme, poire, pêche...). Une petite saucette?

FONDUE AU CHOCOLAT NOIR

Ce dessert gourmand remporte toujours beaucoup de succès autour de la table. Portez à ébullition environ 2,5 cm (1 po) d'eau au fond d'une petite casserole. Réduisez à feu doux et placez un bol de métal sur le dessus de la casserole pour créer un bain-marie. Le fond du bol ne doit pas toucher à l'eau. Ajoutez des pastilles de chocolat dans le bol et faites-les fondre complètement en remuant. Transvidez le chocolat dans un plat à fondue et servez avec une variété de fruits frais coupés.

POMMES À L'ÉRABLE

Dans une poêle bien chaude, faites caraméliser des quartiers de pommes pelées dans un peu de beurre et de sirop d'érable. Faites dorer les pommes à feu vif environ 3 à 4 minutes en les tournant à la mi-cuisson. Servez-les sur une boule de crème glacée ou dans une crêpe bretonne chaude.

CHOCOLAT CHAUD MAISON

Dans une casserole, mélangez du cacao et du sucre. Ajoutez du lait et chauffez à feu moyen en fouettant régulièrement. Ne portez pas à ébullition. Pour chaque portion, calculez environ 375 ml (1 1/2 tasse) de lait, 15 ml (1 c. à soupe) de cacao et 5 ml (1 c. à thé) de sucre. Versez le lait au chocolat chaud dans des bols pour café au lait ou dans de grandes tasses. Si désiré, garnissez de mousse de lait écrémé (obtenue avec un mousseur à lait) et saupoudrez de cannelle ou de cacao.

MOUSSE AUX FRAISES

À l'aide d'un mélangeur électrique, réduisez en purée 250 ml (1 tasse) de fraises (fraîches, ou surgelées et décongelées), 1 banane mûre et 250 ml (1 tasse) de tofu mou à texture soyeuse. Mélangez jusqu'à l'obtention d'une texture onctueuse et homogène. Ajoutez un peu de sirop d'érable au goût, mais habituellement, la banane suffit pour équilibrer l'acidité des fraises. Servez immédiatement ou répartissez dans des contenants à sucette glacée et congelez-les. En mousse ou en friandise glacée, petits et grands raffoleront de cette recette. Ne dites pas qu'elle contient du tofu!

SALADE DE FRUITS FRAIS

Vous croyez qu'il n'y a rien de plus banal qu'une salade de fruits? Détrompez-vous! Variez le choix en vous basant sur leur couleur. Préparez une salade avec des fruits rouges, une autre avec des fruits orange et pourquoi pas une avec des fruits verts? Osez intégrer des fruits exotiques ou méconnus. Ensuite, parfumez votre salade en ajoutant l'un des ingrédients suivants: une étoile d'anis, quelques gouttes d'eau de rose, des feuilles de menthe ou un bâton de cannelle. Adieu la monotonie!

PARFAIT AU YOGOURT

Dans une coupe ou une flûte à bière, assemblez le parfait en alternant les étages de yogourt à la vanille, de framboises fraîches ou surgelées et dégelées, et de céréales granola. Répétez les étages jusqu'au bord de la coupe.

ANANAS CARAMÉLISÉS

Dans une poêle antiadhésive très chaude, déposez des cubes d'ananas mûr et saupoudrez-les de sucre. Faites cuire à feu vif en remuant. N'ajoutez pas de matière grasse, ni d'eau. En fondant, le sucre deviendra liquide, puis sirupeux en quelques minutes. Enrobez les ananas dans leur caramel et servez immédiatement.

QUATRE-QUARTS AUX FRAISES

Coupez de fines tranches de gâteau quatre-quarts du commerce et taillez des formes amusantes à l'aide d'emporte-pièces pour biscuits. Placez les bonshommes, cœurs ou étoiles ainsi créés dans une assiette et décorez-les avec du coulis de fraises et des amandes effilées. Le coulis de fraises s'obtient facilement en mixant au mélangeur électrique des fraises surgelées et dégelées avec un peu de sucre en poudre.

SORBET TROPICAL

Au robot culinaire, réduisez en purée environ 500 ml (2 tasses) de mangue et d'ananas surgelés avec 60 ml (1/4 tasse) de sirop de maïs, 1 blanc d'œuf et 30 ml (2 c. à soupe) de jus d'orange. Actionnez le robot jusqu'à l'obtention d'une préparation lisse (de 3 à 4 minutes). Servez immédiatement ou conservez au congélateur et mélangez de nouveau au moment de servir.

CHEESECAKE MINUTE

Mélangez du fromage quark (ou autre fromage frais non salé) à un peu de miel. Au besoin, ajoutez une ou deux cuillérées de yogourt nature pour assouplir le fromage. Dans un petit verre d'environ 125 ml (4 oz), mettez de la chapelure Graham, le fromage au miel et terminez avec une tartinade aux fruits sans sucre ajouté. Dégustez en plongeant une cuillère jusqu'au fond du verre de façon à obtenir un peu de Graham, de fromage et de tartinade à chaque bouchée.

SANDWICH GLACÉ AU SÉSAME

Mettez une généreuse cuillère de yogourt glacé à la vanille entre deux biscuits au sésame (de type Sesame snaps). Pressez les biscuits pour bien répartir le yogourt glacé. Retirez l'excédent de yogourt glacé en passant un couteau autour du sandwich. Si vous ne les dégustez pas aussitôt, conservez les sandwichs glacés au congélateur jusqu'au moment de les servir.

PAPILLOTE DE PETITS FRUITS

Mettez environ 125 ml (1/2 tasse) de petits fruits (bleuets, fraises, framboises, mûres, cerises de terre) sur un carré de papier parchemin. Ajoutez un filet de sirop d'érable et des amandes effilées. Pour former la papillote, rejoignez deux côtés opposés du papier au milieu, faites un pli et repliez ensuite les deux autres extrémités sous la papillote. Placez sur une plaque de cuisson et répétez pour les autres papillotes. Faites cuire 4 minutes au four à 225°C (450°F), sur la grille du bas. À la sortie du four, disposez la papillote dans une assiette, ouvrez-la légèrement et ajoutez une boule de yogourt glacé à la vanille.

TIRAMISU ALLÉGÉ

Dans un bol, mélangez 250 g (8 oz) de mascarpone avec 125 ml (1/2 tasse) de yogourt nature. Fouettez à la fourchette pour obtenir une crème lisse et onctueuse et sucrez au goût avec du sirop d'érable. Préparez un espresso ou environ 60 ml (1/4 tasse) de café fort. Placez deux doigts de dame dans un verre à apéro, versez le quart du café sur les biscuits, ajoutez le quart du mélange de mascarpone et saupoudrez de cacao. Répétez pour obtenir quatre portions.

BATEAUX CHOCO-POIRE

Égouttez des poires en conserve et disposez chaque moitié dans une assiette, la partie bombée contre l'assiette. Au besoin, coupez une petite couche sur le dos de la poire pour la maintenir bien stable. Ajoutez une boule de yogourt glacé à la vanille au cœur de la poire. Insérez le coin d'un carré de chocolat noir au centre de la boule en guise de voile. À l'abordage!

« J'adore les salades-repas, surtout lorsque
je mange en solo. C'est vite fait et léger.
Des légumes frais et un bon mariage de saveurs,
de textures et de couleurs, c'est le bonheur ! »

petite faim

préparation : **10 min**
cuisson : **12 min**
portions : **4**

Ingrédients vedettes

SALADE NORDIQUE

- 4 **œufs**
- 1 litre (4 tasses) de jeunes pousses de **laitue** (mesclun)
- 200 g (1/2 lb) de **saumon fumé** tranché finement
- 250 ml (1 tasse) de **concombre** en dés
- 15 à 20 **radis** tranchés
- 60 ml (1/4 tasse) de **crème sure** (5 % m.g.)
- Le jus de 1/2 **citron**
- 2,5 ml (1/2 c. à thé) de **raifort** mariné ou de raifort crémeux
- **Sel** et **poivre** concassé

1. Placer les œufs dans une casserole, couvrir d'eau et porter à ébullition. Calculer 10 minutes à partir du moment où l'eau commence à bouillir. Lorsque la cuisson est terminée, plonger les œufs dans l'eau glacée. Écaler les œufs et les couper en quartiers.
2. Pendant ce temps, dans 4 bols de service, répartir dans l'ordre la laitue, le saumon, les dés de concombre et les radis. Ajouter les œufs.
3. Dans un petit bol, mélanger la crème sure, le jus de citron, le raifort et le sel. Poivrer généreusement. Verser la sauce sur la salade, au goût.

● CONSEIL RAPIDO

Le raifort porte bien son nom... parce qu'il est très fort ! J'aime bien l'utiliser, mais en petite quantité. À l'épicerie, on trouve surtout le raifort en pot, réduit en purée ou haché et mariné. La prochaine fois que vous ferez votre fameux *roast beef*, préparez cette sauce crémeuse (étape 3) et ajoutez-y un peu plus de raifort, au goût. Pour changer des moutardes fortes, essayez aussi le raifort dans vos sandwichs faits avec vos restes de rôti.

VALEUR NUTRITIVE
(par portion)

Énergie : **172 Cal**
Protéines : **17 g**
Matières grasses : **9 g**
Glucides : **5 g**
Fibres : **1,0 g**
Sodium : **533 mg**

● VOUS AVEZ PLUS DE TEMPS ?

Préparez des **croûtons** en tranchant finement une baguette de pain. À l'aide d'un pinceau de cuisine, badigeonnez-les d'huile d'olive. Placez-les sur une plaque de cuisson doublée de papier parchemin. Faites cuire au four 10 minutes à 180 oC (350 oF) ou jusqu'à ce qu'ils soient dorés et secs.

Ingrédients vedettes

SALADE NIÇOISE

- 375 ml (1 1/2 tasse) de **pommes de terre** grelots
- 4 **œufs**
- Environ 40 **haricots verts** équeutés
- 2 boîtes de 170 g (6 oz) de **thon** en morceaux, égoutté
- Environ 20 **olives Kalamata**
- 4 **tomates** mûres, coupées en quartiers
- Le jus de 1 **citron**
- 20 ml (4 c. à thé) d'**huile d'olive**
- Quelques **anchois** (facultatif)
- **Ciboulette** fraîche, hachée
- **Poivre** concassé
- **Fleur de sel** (facultatif)

1. Cuire les grelots dans l'eau bouillante environ 15 minutes ou jusqu'à ce que la pointe d'un couteau s'insère facilement dans la chair. Rincer à l'eau froide, égoutter, couper en deux et réserver.
2. Pendant ce temps, placer les œufs dans une grande casserole, couvrir d'eau et porter à ébullition. Calculer 10 minutes à partir du moment où l'eau commence à bouillir.
3. Environ 5 minutes avant la fin de la cuisson des œufs, ajouter les haricots verts dans la casserole d'eau bouillante. Lorsque la cuisson est terminée, plonger les œufs et les haricots dans l'eau glacée. Écaler les œufs et les couper en quartiers.
4. Pour servir, distribuer les grelots dans quatre bols. Ajouter le thon, les olives, les tomates, les haricots et les œufs. Arroser d'un filet d'huile d'olive et de jus de citron. Garnir de morceaux d'anchois (si désiré) et de ciboulette fraîche. Poivrer généreusement et saler uniquement si vous ne mettez pas d'anchois.

● **CONSEIL RAPIDO**

Les tomates du Québec sont maintenant offertes à l'année... et elles sont de très bonne qualité. En hiver, choisissez les tomates d'ici mûries sur vigne, elles seront plus savoureuses. Sinon, dites-vous qu'une tomate de serre québécoise sera meilleure qu'une tomate qui a voyagé des milliers de kilomètres avant d'arriver dans nos supermarchés. Pour supporter le voyage, les tomates importées doivent être cueillies avant d'atteindre leur maturité. Voilà pourquoi elles manquent de goût, sont peu juteuses et ont une texture granuleuse.

VALEUR NUTRITIVE
(par portion)
Énergie : **326 Cal**
Protéines : **34 g**
Matières grasses : **13 g**
Glucides : **20 g**
Fibres : **5,3 g**
Sodium : **597 mg**

● **VOUS AVEZ PLUS DE TEMPS ?**
Retirez les noyaux des olives avant de les ajouter à la salade. **Utilisez un dénoyauteur**, petit gadget qui ressemble à un poinçon et qui permet de retirer facilement le noyau des olives et des cerises. Environ 10 $ dans les boutiques de cuisine.

Ingrédients vedettes

SALADE WALDORF AUX ENDIVES

- 1 **pomme verte** non pelée, tranchée finement
- 1 **pomme rouge** non pelée, tranchée finement
- 1/2 **laitue boston** déchiquetée grossièrement (environ 500 ml / 2 tasses)
- 1 **endive** hachée grossièrement
- 1 branche de **céleri** coupée en biseau
- 375 ml (1 1/2 tasse) de **poulet** cuit en dés
- 125 ml (1/2 tasse) de **noix** de Grenoble

VINAIGRETTE

- 125 ml (1/2 tasse) de **crème sure** (5 % m.g.)
- 10 ml (2 c. à thé) de **moutarde de Dijon**
- 10 ml (2 c. à thé) de **zeste de citron** râpé finement
- 5 ml (1 c. à thé) de **sirop d'érable**
- 2,5 ml (1/2 c. à thé) d'**ail** en purée ou haché finement
- **Sel** et **poivre** concassé

1. Dans un grand bol, mélanger tous les ingrédients de la salade.
2. Dans un petit bol, mélanger tous les ingrédients de la vinaigrette. Ajuster les assaisonnements au goût et ajouter la quantité désirée à la salade.
3. Servir avec quelques tranches de pain au blé concassé.
4. Conserver le reste de la vinaigrette au réfrigérateur et utiliser comme trempette pour les crudités. Se conserve 48 h.

● **CONSEIL RAPIDO**

La version originale de cette salade a été créée en 1898 par Oscar Tschirky, le maître d'hôtel du fameux Waldorf Astoria de Manhattan, à New York. La recette initiale ne comprenait pas de noix et proposait une sauce à base de mayonnaise. J'ai fait une sauce beaucoup moins grasse, mais tout de même très savoureuse. Et tant qu'à trafiquer les classiques, pourquoi ne pas ajouter des épinards et des oignons rouges en fines lamelles?

VALEUR NUTRITIVE *(par portion)*
Énergie : **290 Cal**
Protéines : **21 g**
Matières grasses : **15 g**
Glucides : **20 g**
Fibres : **4,2 g**
Sodium : **146 mg**

● **VOUS AVEZ PLUS DE TEMPS ?**

Vous pouvez rehausser le goût des noix de Grenoble en les faisant griller dans une poêle, sans ajouter de matière grasse. Remuez-les constamment et retirez-les lorsqu'elles dégagent leur odeur (après environ 3 minutes).

Ingrédients vedettes

SALADE GRECQUE

- 150 g (5 oz) de **tofu** extra-ferme en cubes
- 150 g (5 oz) de **fromage feta** léger en cubes de même grosseur que le tofu
- 80 ml (1/3 tasse) de **vinaigre de vin** rouge
- 60 ml (1/4 tasse) de **persil plat** haché grossièrement
- 15 ml (1 c. à soupe) d'**huile d'olive**
- 5 ml (1 c. à thé) d'**ail** haché finement
- **Poivre** concassé
- 2 ou 3 **tomates** bien mûres
- 1/4 d'**oignon** rouge
- 125 ml (1/2 tasse) d'**olives Kalamata**
- 4 pains **pitas** épais (ou 2 pains naans)

1. Préchauffer le four à 180 °C (350 °F).
2. Dans un bol moyen, mettre le tofu, la feta, le vinaigre, le persil, l'huile, l'ail et le poivre. Bien mélanger et laisser reposer 15 minutes pour permettre au tofu de s'imprégner des saveurs des autres ingrédients.
3. Placer les pains pitas au four de 5 à 10 minutes.
4. Pendant ce temps, couper grossièrement les tomates et les oignons. Ajouter les tomates, les oignons et les olives à la préparation de tofu. Bien mélanger.
5. Pour servir, placer un pain pita chaud au centre de chaque assiette et garnir de salade grecque.

● **CONSEIL RAPIDO**
Ce n'est pas un secret, le tofu est plutôt fade ! Dans cette recette, pour l'aider un peu, je le fais mariner avec la feta et la vinaigrette. Mine de rien, le tofu contient peu de gras, mais une bonne dose de protéines, de vitamines et de minéraux. Il peut donc remplacer la viande le temps d'un repas. Conservez le reste du bloc au frigo dans un plat hermétique rempli d'eau que vous changerez tous les jours. Utilisez-le avec du fromage râpé comme garniture à pizza ou mélangé à de la ricotta dans une lasagne. Il passera incognito !

VALEUR NUTRITIVE
(par portion)
Énergie : **354 Cal**
Protéines : **19 g**
Matières grasses : **14 g**
Glucides : **42 g**
Fibres : **7,2 g**
Sodium : **756 mg**

● **VOUS AVEZ PLUS DE TEMPS ?**
Faites mariner le tofu plus longtemps, la recette sera encore meilleure. En saison, profitez-en pour faire griller les pains pitas sur le barbecue.

Ingrédients vedettes

SALADE DE POULET, AUX ARACHIDES ET AUX CANNEBERGES

- 60 ml (1/4 tasse) de **miel** liquide
- 30 ml (2 c. à soupe) de **vinaigre de riz**
- 10 ml (2 c. à thé) d'**huile de sésame** (facultatif)
- 5 ml (1 c. à thé) d'**ail** haché
- 300 g (3/4 lb) de **poitrines de poulet** désossées, sans la peau (environ 2 demi-poitrines)
- 500 ml (2 tasses) de **laitue** frisée déchiquetée
- 500 ml (2 tasses) de **roquette**
- 1 branche de **céleri** tranchée finement
- 1 **échalote française** émincée
- 250 ml (1 tasse) de **canneberges séchées**
- 80 ml (1/3 tasse) d'**arachides** rôties à sec

1. Préchauffer le gril du four (à *broil*). Placer la grille à la position du haut.
2. Dans un grand bol, mélanger le miel, le vinaigre, l'huile de sésame et l'ail. Réserver la moitié de cette préparation pour la vinaigrette.
3. Couper les poitrines de poulet sur l'horizontale pour les séparer en deux. Répéter l'opération de façon à obtenir 8 fines tranches de poulet. Ajouter à la marinade dans le grand bol.
4. Placer les tranches de poulet mariné sur une plaque de cuisson doublée de papier parchemin et cuire sous le gril pendant 10 minutes ou jusqu'à ce que le poulet soit doré et caramélisé.
5. Pendant ce temps, assembler les salades en répartissant dans chaque bol, dans l'ordre, la laitue frisée, la roquette, le céleri et l'échalote.
6. Effilocher le poulet cuit et l'ajouter à la salade pendant qu'il est encore chaud. Compléter avec les canneberges, les arachides et un filet de la vinaigrette réservée à l'étape 2.

● CONSEIL RAPIDO

Pour raviver une laitue qui commence à être fanée, il suffit de détacher les feuilles et de les mettre dans un grand sac en plastique hermétique. Ajoutez quelques gouttelettes d'eau, gonflez le sac comme un ballon et refermez-le avant de le mettre au frigo. Comme par magie, votre laitue redeviendra croustillante en quelques heures.

VALEUR NUTRITIVE
(par portion)
Énergie : **438 Cal**
Protéines : **23 g**
Matières grasses : **20 g**
Glucides : **48 g**
Fibres : **4,0 g**
Sodium : **108 mg**

● VOUS AVEZ PLUS DE TEMPS ?

Utilisez des canneberges fraîches et faites-les cuire avec le poulet. Placez la grille du four à la position du centre et prolongez la cuisson de 5 minutes. Elles auront juste le temps d'amollir et leur goût suret se mariera bien avec la marinade sucrée.

préparation : **10 min**
cuisson : **20 min**
portions : **4**

Ingrédients vedettes

SALADE (UN PEU) GRANO

- 180 ml (3/4 tasse) de grains de **millet** rincés et égouttés (ou de riz)
- 625 ml (2 1/2 tasses) de **bouillon de poulet** maison ou du commerce, réduit en sodium
- 1 **pomme rouge** non pelée en julienne
- 125 ml (1/2 tasse) de **carottes** râpées
- 125 ml (1/2 tasse) de **radis** tranchés finement
- 60 ml (1/4 tasse) d'**oignon rouge** haché finement
- 60 ml (1/4 tasse) de **graines de tournesol** écalées
- 60 ml (1/4 tasse) de **ciboulette** fraîche, hachée
- 60 ml (1/4 tasse) de **persil** plat haché
- 15 ml (1 c. à soupe) d'**huile d'olive**
- Le zeste et le jus de 1 **citron**
- **Poivre** concassé

1. Dans une casserole, mélanger le millet et le bouillon. Porter à ébullition, couvrir, réduire à feu moyen-doux et laisser mijoter 20 minutes ou jusqu'à ce que les grains soient tendres. Retirer du feu et laisser reposer 5 minutes à découvert.
2. Pendant ce temps, dans un grand bol, mélanger le reste des ingrédients. Ajouter le millet encore chaud et bien mélanger. Servir.

● **CONSEIL RAPIDO**

Le millet, vous connaissez ? On l'utilise depuis la nuit des temps en Afrique et en Asie. Économique, nutritif et facile à digérer, il est vendu dans les grandes épiceries et dans les magasins d'alimentation naturelle. Choisissez le millet perlé et décortiqué, il sera plus facile à apprêter. Rincez bien les petits grains avant de les cuire dans deux fois plus d'eau, pendant 20 minutes ou jusqu'à tendreté. Ensuite, ajoutez le millet dans cette salade ou servez-le simplement comme accompagnement.

VALEUR NUTRITIVE
(par portion)
Énergie : **183 Cal**
Protéines : **7 g**
Matières grasses : **9 g**
Glucides : **24 g**
Fibres : **4,7 g**
Sodium : **65 mg**

● **VOUS AVEZ PLUS DE TEMPS ?**

Faites griller les graines de tournesol dans une poêle 5 minutes à feu moyen sans utiliser de matière grasse. Vous pouvez aussi ajouter 250 ml (1 tasse) de lentilles en conserve, rincées et égouttées, pour une salade tout ce qu'il y a de plus grano !

Ingrédients vedettes

SALADE CROQUANTE AUX FINES HERBES

- 500 ml (2 tasses) de **laitue Boston** hachée
- 500 ml (2 tasses) de **poulet** cuit en dés
- 125 ml (1/2 tasse) de **basilic** frais haché
- 125 ml (1/2 tasse) de **persil plat** haché
- 125 ml (1/2 tasse) d'**oseille** hachée (facultatif)
- 1/2 **poivron vert** haché
- 1/2 **poivron rouge** haché
- 1/2 **poivron jaune** haché
- 1 branche de **céleri** hachée
- 60 ml (1/4 tasse) d'**oignon rouge** haché
- 60 ml (1/4 tasse) de **noix de pin** (pignons)

VINAIGRETTE
- 30 ml (2 c. à soupe) d'**huile d'olive**
- Le jus de 1 **citron**
- 2,5 ml (1/2 c. à thé) de **sucre**
- 2,5 ml (1/2 c. à thé) de **cumin**
- 1 trait de **sauce piquante** (de type Tabasco)
- **Sel** et **poivre** concassé

1. Dans un grand bol, mélanger tous les ingrédients de la salade.
2. Dans un petit bol, mélanger tous les ingrédients de la vinaigrette. Ajouter à la salade, bien mélanger et servir.

● **CONSEIL RAPIDO**

Cultiver les fines herbes, c'est facile et économique, que ce soit dans une boîte à fleurs sur le balcon, dans quelques pots sur le bord d'une fenêtre ou dans un petit coin de votre potager. De plus, vous aimerez ajouter des herbes fraîches çà et là dans vos recettes. Basilic, thym, menthe, origan, coriandre... Achetez-les en pots et transplantez-les dans un terreau riche vendu dans les centres du jardin. Chez moi, j'ai des fines herbes en pot à l'année et je complète en achetant des herbes fraîches à l'épicerie, pour plus de variété.

VALEUR NUTRITIVE
(par portion)
Énergie : **328 Cal**
Protéines : **25 g**
Matières grasses : **22 g**
Glucides : **9 g**
Fibres : **2,6 g**
Sodium : **115 mg**

● **VOUS AVEZ PLUS DE TEMPS ?**

Transformez des bagels en **chips croustillantes**. Coupez les bagels en minces tranches sur l'épaisseur et passez-les sous le gril du four (à *broil*) quelques minutes. Délicieux avec cette salade.

« J'ai emprunté les classiques du resto, je les ai allégés et même améliorés. Vous vous régalerez pour une fraction du prix et vous pourrez mettre votre pyjama si vous en avez envie ! »

mieux qu'au resto

Ingrédients vedettes

MINI-BURGER AU VEAU

- 450 g (1 lb) de **veau** haché
- 2 **oignons verts** hachés
- 1 **œuf**
- 15 ml (1 c. à soupe) de **moutarde de Dijon**
- 15 ml (1 c. à soupe) d'**herbes de Provence**
- **Poivre** concassé
- 12 petits **pains** ronds d'environ 5 cm (2 po) de diamètre
- 3 **tomates italiennes** tranchées
- Quelques feuilles de **laitue Boston** déchiquetées
- Condiments : **moutarde de Dijon**, **mayonnaise** allégée, **sauce BBQ** (au choix)

1. Préchauffer le four à 150 °C (300 °F).
2. Dans un grand bol, mélanger le veau, les oignons verts, l'œuf, la moutarde, les herbes et le poivre. Former 12 petites galettes d'environ 5 cm (2 po) de diamètre.
3. Cuire dans une grande poêle antiadhésive à feu moyen environ 5 minutes de chaque côté ou jusqu'à ce que l'intérieur des galettes soit entièrement cuit.
4. Pendant ce temps, couper les petits pains en deux à l'horizontale. Disposer les 24 moitiés de pain sur une plaque de cuisson et cuire au centre du four de 5 à 7 minutes.
5. Placer une galette à l'intérieur de chaque pain et garnir de deux tranches de tomate, de quelques morceaux de laitue et de condiments, au goût.

● **CONSEIL RAPIDO**

Cette recette plaira à coup sûr aux enfants. Profitez-en pour solliciter leur aide. Ils pourront assaisonner la viande, former les galettes avec leurs petites mains et préparer les condiments pour garnir les burgers. Leur participation ne vous permettra peut-être pas d'épargner du temps sur le coup, mais ce sera un investissement à long terme. En répétant souvent l'expérience, vos enfants deviendront plus habiles en cuisine et seront capables, un jour, de tout préparer de A à Z.

VALEUR NUTRITIVE *(par portion)*
Énergie : **368 Cal**
Protéines : **31 g**
Matières grasses : **13 g**
Glucides : **32 g**
Fibres : **3,8 g**
Sodium : **508 mg**

● **VOUS AVEZ PLUS DE TEMPS ?**

Ajoutez du fromage râpé et des tomates séchées hachées à l'étape 2. Vos burgers seront encore plus savoureux. Profitez-en aussi pour préparer une petite salade en accompagnement.

Ingrédients vedettes

BURGER AU PORC, TOMATES SÉCHÉES ET POIVRONS MARINÉS

- 1 **oignon rouge**
- 125 ml (1/2 tasse) de **poivron mariné** égoutté (environ 1 poivron)
- 450 g (1 lb) de **porc haché** extra-maigre
- 60 ml (1/4 tasse) de **tomates séchées** dans l'huile, égouttées et hachées (environ 4 morceaux)
- 10 ml (2 c. à thé) d'**ail** haché
- **Sel** et **poivre** concassé
- 4 petits **pains** de blé concassé (ou multigrain) coupés en deux sur l'épaisseur
- 250 ml (1 tasse) de jeunes pousses d'**épinard**
- **Mayonnaise** allégée (facultatif)

1. Hacher finement le quart de l'oignon rouge et émincer le reste. Réserver.
2. Hacher finement la moitié du poivron mariné et couper le reste en lanières. Réserver.
3. Dans un grand bol, mélanger le porc, l'oignon haché, le poivron haché, les tomates séchées et l'ail. Ajouter un peu de sel et poivrer généreusement. Bien mélanger et façonner 4 galettes.
4. Préchauffer le four à 120 °C (250 °F).
5. Cuire les galettes dans une poêle striée antiadhésive à feu moyen-vif, environ 7 minutes de chaque côté. Placer les galettes dans une assiette et conserver au four. Ajouter les pains.
6. Dans la poêle ayant servi à cuire les galettes, ajouter le reste des oignons et cuire à feu moyen 5 minutes ou jusqu'à ce qu'ils soient dorés et tendres.
7. Pour assembler les burgers, tartiner la base de chaque pain de mayonnaise (si désiré), ajouter une galette, garnir d'oignons grillés, de lanières de poivron mariné et d'épinards. Servir.

● CONSEIL RAPIDO

Qui n'aime pas manger des burgers ? C'est simple, convivial et savoureux. J'adore varier les ingrédients et confectionner des burgers hors du commun. D'abord la viande : il n'y a pas que le bœuf haché ! Utilisez du porc, du veau, du poulet, de la dinde ou de l'agneau. Du côté des condiments, allez au-delà du duo relish/moutarde et ajoutez des tartinades de pois chiches, d'aubergine, des pestos et des mélanges de mayonnaise et de pâte de piment fort.

VALEUR NUTRITIVE *(par portion)*
Énergie : **368 Cal**
Protéines : **19 g**
Matières grasses : **16 g**
Glucides : **25 g**
Fibres : **2,9 g**
Sodium : **548 mg**

● VOUS AVEZ PLUS DE TEMPS ?

Préparez une **mayo aromatisée**. Mélangez 60 ml (1/4 tasse) de mayonnaise, 1 morceau de tomate séchée haché finement, 15 ml (1 c. à soupe) de ciboulette hachée et 2,5 ml (1/2 c. à thé) d'ail haché. Vous pouvez aussi préparer des frites cuites au four, consultez la page 168 pour la méthode.

Ingrédients vedettes

BURGER AU SAUMON

- 2 boîtes de **saumon** de 213 g (7,5 oz) chacune
- 125 ml (1/2 tasse) de **fromage suisse** râpé
- 125 ml (1/2 tasse) de **chapelure** de blé entier à l'italienne
- 1 **œuf**
- Le jus de 1/2 **citron**
- 45 ml (3 c. à soupe) de **ciboulette** fraîche hachée
- 5 ml (1 c. à thé) d'**ail** haché
- **Sel** et **poivre** concassé
- 4 **pains kaiser** aux graines de pavot
- 1 **tomate** en tranches
- 4 feuilles de **laitue** frisée
- **Mayonnaise** allégée (facultatif)

1. Égoutter le saumon et enlever la peau et une partie des arêtes (si désiré).
2. Dans un grand bol, mélanger à la fourchette le saumon, le fromage, la chapelure, l'œuf, le jus de citron, la ciboulette et l'ail. Ajouter un peu de sel et poivrer généreusement.
3. Diviser la préparation en 4 parties égales et former des galettes avec les mains.
4. Dans une poêle antiadhésive, cuire les galettes 5 minutes de chaque côté à feu moyen.
5. Trancher les pains sur l'épaisseur. Garnir les pains d'une galette de saumon, d'une tranche de tomate, d'une feuille de laitue et de mayonnaise (si désiré).

● **CONSEIL RAPIDO**

Il n'y a pas que la galette qu'on peut varier pour réinventer le burger. Troquez le classique pain au sésame pour des pains kaiser, des pains briochés, des pains aux œufs et même des bagels, des pains ciabatta, des pains aux olives ou aux noix ! Faites une petite visite dans une boulangerie artisanale et vous verrez que ce n'est pas le choix qui manque !

VALEUR NUTRITIVE *(par portion)*
Énergie : **465 Cal**
Protéines : **35 g**
Matières grasses : **16 g**
Glucides : **42 g**
Fibres : **2,6 g**
Sodium : **675 mg**

● **VOUS AVEZ PLUS DE TEMPS ?**

Préparez une **mayonnaise citronnée** en mélangeant de la mayo légère avec le zeste et le jus de 1/2 citron. Ajoutez de la ciboulette et de l'aneth frais hachés finement. Vous pouvez aussi préparer des frites de patate douce en suivant la même méthode que les frites au four de la page 168.

préparation : **10 à 12 min**
cuisson : **13 min**
portions : **4**

Ingrédients vedettes

BURGER AU POULET ET À LA BRUSCHETTA

- 450 g (1 lb) de **poulet** ou de dinde haché
- 1/2 **oignon jaune** haché finement
- 60 ml (1/4 tasse) de **ciboulette** fraîche hachée finement
- 60 ml (1/4 tasse) de **chapelure** de blé entier à l'italienne
- 1 trait de **sauce piquante** (de type Tabasco)
- **Poivre** concassé
- 4 **pains aux œufs** (ou pains kaiser)
- 250 ml (1 tasse) de **bruschetta** maison* ou du commerce
- 60 ml (1/4 tasse) de **crème sure** (5 % m.g.)
- Mélange de **laitues** (de type mesclun)

* Voir la recette de bruschetta maison à la page 34.

1. Préchauffer le gril du four (à *broil*). Placer la grille à la position du haut.
2. Dans un grand bol, mélanger le poulet, l'oignon, la ciboulette, la chapelure, la sauce piquante et poivrer. Mélanger à la fourchette, puis former 8 petites galettes.
3. Dans une grande poêle antiadhésive, cuire les galettes à feu moyen-vif. Retourner après 5 minutes de cuisson ou lorsque les galettes sont grillées. Presser les galettes à l'aide d'une spatule pour bien les aplatir et poursuivre la cuisson 5 minutes.
4. Pendant ce temps, couper les pains en deux sur l'épaisseur, les ouvrir et les passer sous le gril du four (à *broil*) 2 ou 3 minutes.
5. Pour servir, placer 2 galettes sur une moitié de pain, ajouter de la bruschetta, un soupçon de crème sure, de la laitue et refermer avec l'autre moitié de pain.

● **CONSEIL RAPIDO**

La fameuse maladie du hamburger est causée par la bactérie E. Coli. Pour la prévenir, on ne devrait jamais laisser la viande plus de deux heures à la température de la pièce. Nettoyez vos instruments et vos surfaces de travail avant la préparation et chaque fois que vous passez de la viande crue à un aliment prêt à manger. Assurez-vous que la viande cuite n'ait plus de coloration rosée. Une galette peut être calcinée à l'extérieur et encore crue à l'intérieur.

VALEUR NUTRITIVE
(par portion)
Énergie : **473 Cal**
Protéines : **30 g**
Matières grasses : **16 g**
Glucides : **49 g**
Fibres : **3,3 g**
Sodium : **610 mg**

● **VOUS AVEZ PLUS DE TEMPS ?**

Préparez des courgettes grillées comme accompagnement. Pour la recette, consultez les idées en 5 minutes à la page 39. En saison, utilisez le barbecue pour cuire les burgers.

préparation : **10 à 15 min**
cuisson : **12 à 15 min**
portions : **4**

BURRITOS MEXICAINS

Ingrédients vedettes

- 1 **oignon jaune** haché finement
- 450 g (1 lb) de **bœuf haché** extra-maigre
- 1 **poivron rouge** haché
- 1 **poivron vert** haché
- 250 ml (1 tasse) de **maïs en grains** surgelé
- 1 boîte de 156 ml (5,5 oz) de **pâte de tomates**
- 1 boîte de 213 ml (7 oz) de **sauce tomate** nature
- 15 ml (1 c. à soupe) de **cumin** moulu
- 5 ml (1 c. à thé) d'**assaisonnement au chili**
- 1 pincée de **piment de Cayenne**
- 5 ml (1 c. à thé) de **sucre**
- **Poivre** concassé
- 60 ml (1/4 tasse) de **coriandre** fraîche hachée
- 8 petites **tortillas** mexicaines au blé entier
- 250 ml (1 tasse) de **fromage cheddar** râpé

1. Dans une grande poêle antiadhésive, cuire l'oignon et le bœuf à feu vif. Remuer à l'aide d'une spatule en bois pour égrainer la viande hachée, et laisser ensuite caraméliser la viande quelques instants. Lorsque la viande est cuite (absence de coloration rosée), égoutter le gras et réduire à feu moyen.
2. Ajouter les poivrons et le maïs et poursuivre la cuisson 5 minutes.
3. Ajouter la pâte de tomates, la sauce et les assaisonnements, sauf la coriandre. Bien remuer et cuire 2 ou 3 minutes de plus. Ajouter la coriandre et mélanger.
4. Préchauffer le gril du four (à *broil*). Placer la grille à la position du haut.
5. Farcir chaque tortilla d'un peu de préparation au bœuf, rouler et garnir de fromage. Placer 2 burritos par assiette et passer sous le gril du four (à *broil*) 1 ou 2 minutes avant de servir. Manipuler les assiettes avec des mitaines pour le four.

● **CONSEIL RAPIDO**

Vous pouvez facilement transformer cette recette en **chili con carne**. Préparez tout tel quel, mais ajoutez une petite conserve de sauce tomate, une conserve de haricots rouges, rincés et égouttés, et ajustez les assaisonnements. Il faudra un peu plus de cumin, de poudre de chili et de poivre pour rehausser le tout. Servez le chili dans un bol, garnissez de fromage cheddar râpé et de coriandre fraîche et remplacez la tortilla par quelques nachos (chips de maïs) cuits au four. Une métamorphose à la mexicaine !

VALEUR NUTRITIVE *(par portion)*
Énergie : **491 Cal**
Protéines : **39 g**
Matières grasses : **19 g**
Glucides : **45 g**
Fibres : **7,7 g**
Sodium : **494 mg**

● **VOUS AVEZ PLUS DE TEMPS ?**

Ajoutez une branche de céleri hachée et des haricots noirs en conserve rincés et égouttés. Vous aurez alors 2 portions de plus pour le lunch du lendemain. Durant la saison du maïs, profitez-en pour utiliser les épis qui restent après la grosse épluchette!

PANINI JAMBON-FROMAGE

Ingrédients vedettes

- 8 tranches de **pain de seigle**
- **Moutarde de Dijon** (au goût)
- 200 g (1/2 lb) de **jambon** artisanal tranché finement
- 20 ml (4 c. à thé) de **miel** liquide
- 100 g (3,5 oz) de **fromage** québécois à pâte demi-ferme (Migneron, Mamirolle, Oka...), tranché
- 10 ml (2 c. à thé) d'**huile d'olive**

1. Badigeonner les tranches de pain d'une fine couche de moutarde de Dijon. Ajouter le jambon sur 4 tranches et étendre une cuillère à thé de miel sur chaque portion de jambon. Compléter avec le fromage et refermer avec les 4 autres tranches de pain.
2. Verser l'huile dans un petit bol et, à l'aide d'un pinceau de cuisine, badigeonner d'huile les deux côtés de chaque sandwich.
3. Cuire à feu moyen vif dans une poêle antiadhésive en pressant les sandwichs avec une spatule. Cuire 5 minutes de chaque côté ou jusqu'à ce que le pain soit doré. Servir immédiatement.

● **CONSEIL RAPIDO**

Cette recette est toute simple, mais pourtant bien différente du sandwich jambon-fromage ordinaire. Ce qui fait la différence : le fromage ! Nous sommes choyés au Québec d'avoir accès à tant de fromages fins. J'ai un faible pour les fromages artisanaux, d'abord pour leur goût, mais aussi pour soutenir ces artisans qui pratiquent leur métier avec courage et passion. Acheter des fromages fermiers ou artisanaux, faits de lait entier, est un petit geste pour nous, mais représente une grande tape dans le dos pour nos fromagers.

VALEUR NUTRITIVE
(par portion)
Énergie : **356 Cal**
Protéines : **21 g**
Matières grasses : **13 g**
Glucides : **37 g**
Fibres : **3,9 g**
Sodium : **844 mg**

● **VOUS AVEZ PLUS DE TEMPS ?**
Accompagnez le sandwich d'une salade de roquette avec une vinaigrette à la framboise.

Ingrédients vedettes

PAN BAGNA

- 2 **œufs**
- 1/2 **oignon rouge** en rondelles
- 1 **miche** ronde d'environ 20 cm (8 po) de diamètre
- 1 **tomate** tranchée
- 1 boîte de 170 g (6 oz) de **thon** pâle émietté, égoutté
- 60 ml (1/4 tasse) d'**olives Kalamata** dénoyautées et hachées
- 60 ml (1/4 tasse) de **basilic** frais
- 15 ml (1 c. à soupe) d'**huile d'olive**
- 10 ml (2 c. à thé) de **vinaigre balsamique**
- 5 ml (1 c. à thé) de **moutarde de Dijon**
- **Sel** et **poivre** concassé

1. Préchauffer le four à 200 °C (400 °F).
2. Placer les œufs dans une casserole moyenne, recouvrir d'eau et porter à ébullition. Calculer 10 minutes lorsque l'eau commence à bouillir.
3. Environ 5 minutes avant la fin de la cuisson des œufs, ajouter les oignons dans la casserole d'eau bouillante. Lorsque la cuisson est terminée, plonger les œufs et les oignons dans l'eau glacée. Écaler les œufs et les couper en tranches.
4. Couper la miche de pain en deux sur l'horizontale. Retirer une partie de la mie en conservant environ 2,5 cm (1 po) de mie sur chaque moitié.
5. Tapisser le fond de la miche de tranches de tomate. Répartir le thon, les œufs, les oignons, les olives et le basilic.
6. Dans un petit bol, mélanger l'huile, le vinaigre et la moutarde. Ajouter un peu de sel et poivrer généreusement. Mélanger et verser sur les autres ingrédients.
7. Refermer la miche, bien presser et asperger la croûte d'un peu d'eau.
8. Mettre au four et chauffer de 5 à 7 minutes. La croûte deviendra croustillante et l'intérieur sera tempéré. Couper en 4 pointes et servir.

● **CONSEIL RAPIDO**

Le pan bagna est un emblème culinaire de la Côte d'Azur. Dans le dialecte niçois, il signifie «pain mouillé à l'huile d'olive». On doit son apparition aux pêcheurs qui se préparaient un bon casse-croûte avec les aliments frais du marché avant d'aller en mer. Sa composition : des légumes, du thon ou des anchois et des œufs durs, le tout dans un petit pain rond généreusement arrosé d'huile d'olive. Personnalisez-le en ajoutant des olives et des légumes variés. Il ne vous manquera que la Méditerranée !

VALEUR NUTRITIVE *(par portion)*
Énergie : **410 Cal**
Protéines : **23 g**
Matières grasses : **11 g**
Glucides : **54 g**
Fibres : **3,7 g**
Sodium : **769 mg**

● **VOUS AVEZ PLUS DE TEMPS ?**

Ajoutez de fines tranches de fromage mozzarella à l'étape 5 et faites cuire quelques minutes de plus pour permettre au fromage de fondre. Délicieux !

Ingrédients vedettes

DOIGTS DE POULET PANÉS

- 375 ml (1 1/2 tasse) de **flocons de maïs** (de type Corn Flakes)
- 375 ml (1 1/2 tasse) de **chapelure** de blé entier à l'italienne
- 10 ml (2 c. à thé) de **paprika**
- 2,5 ml (1/2 c. à thé) de **piment de Cayenne**
- 1 pincée de **sel**
- 125 ml (1/2 tasse) de **farine** de blé entier
- 2 **œufs**
- 30 ml (2 c. à soupe) d'**eau**
- 600 g (1 1/3 lb) de **poitrines de poulet**, désossées et sans la peau, en lanières de 2,5 cm (1 po) de largeur (environ 4 demi-poitrines)
- **Miel, sauce barbecue, moutarde de Dijon** ou autre trempette pour les doigts de poulet

1. Préchauffer le four à 200 °C (400 °F).
2. Dans un bol moyen, verser les flocons de maïs et les émietter finement avec les doigts. Ajouter ensuite la chapelure, le paprika, le piment et le sel, et bien mélanger.
3. Mettre la farine dans un autre bol.
4. Dans un troisième bol, mélanger les œufs et l'eau à la fourchette.
5. Pour la panure, d'abord enrober de farine les lanières de poulet, ensuite les tremper rapidement dans l'œuf puis les enrober du mélange de céréales.
6. Placer les lanières enrobées sur une plaque de cuisson doublée d'un papier parchemin et cuire au four 15 minutes.
7. Servir avec une salade mesclun arrosée d'un filet d'huile et de jus de citron, ou de votre vinaigrette préférée.

● CONSEIL RAPIDO

Une **chapelure maison** : rien de plus simple ! Fini le gaspillage, tout y passe : croûtes de pain blanc, brun, multigrain et restes de baguette dure. Sur une plaque de cuisson, faites sécher les tranches au four à 150 °C (300 °F) pendant 10 à 15 minutes jusqu'à ce qu'elles soient sèches et légères. Laissez-les refroidir et passez-les au robot culinaire. Ajoutez ensuite du parmesan et des herbes de Provence. La chapelure maison se conserve quelques semaines au frigo dans un contenant hermétique.

VALEUR NUTRITIVE
(par portion)
Énergie : **453 Cal**
Protéines : **46 g**
Matières grasses : **7 g**
Glucides : **50 g**
Fibres : **4,4 g**
Sodium : **584 mg**

● VOUS AVEZ PLUS DE TEMPS ?

Préparez des **frites de légumes racines**. Coupez carottes, panais, patates douces ou rutabaga en bâtonnets de même grosseur, enrobez-les d'un peu d'huile et placez-les sur une plaque de cuisson doublée de papier parchemin. Calculez 30 minutes à 180 °C (350 °F).

Ingrédients vedettes

PIZZA AU POULET ET AUX LÉGUMES GRILLÉS

- 200 g (1/2 lb) de **poitrine de poulet** désossée, sans la peau (environ 1 demi-poitrine)
- 1/2 **poivron jaune** en lanières
- 1/2 **courgette verte** (zucchini) en tranches
- 1/2 petite **aubergine** en lanières
- 1/2 **oignon jaune** en lanières
- 15 ml (1 c. à soupe) d'**huile d'olive**
- 15 ml (1 c. à soupe) de **vinaigre balsamique**
- **Poivre** concassé
- 1 **pâte à pizza** précuite ou 1 pain plat italien (environ 400 g / 14 oz)
- 180 ml (3/4 tasse) de **sauce à pizza** du commerce
- 180 ml (3/4 tasse) de **fromage mozzarella** râpé

1. Préchauffer le gril du four (à *broil*). Placer la grille à la position du centre.
2. Dans un grand bol, mélanger le poulet, le poivron, la courgette, l'aubergine, l'oignon, l'huile, le vinaigre et le poivre. Répartir sur une grille placée sur une plaque de cuisson et cuire sous le gril (à *broil*) au centre du four pendant 10 minutes.
3. Pendant ce temps, étendre la sauce et le fromage sur la pâte à pizza.
4. Distribuer les légumes et le poulet grillés sur la pâte à pizza et terminer la cuisson au four à 200 °C (400 °F) pendant 10 minutes.

● **CONSEIL RAPIDO**

Doublez cette recette et vous en aurez pour les lunchs ! Cette pizza se déguste aussi bien chaude que froide. Et vous ne resterez pas pris avec une demi-aubergine dans le frigo ! Au four, il y a de la place pour deux pizzas côte à côte, alors ce ne sera pas plus long à préparer. Ce sont de petits gestes comme celui-là qui permettent de rentabiliser le temps passé à cuisiner.

VALEUR NUTRITIVE
(par portion)
Énergie : **470 Cal**
Protéines : **28 g**
Matières grasses : **12 g**
Glucides : **63 g**
Fibres : **6,7 g**
Sodium : **548 mg**

● **VOUS AVEZ PLUS DE TEMPS ?**

Pendant la cuisson de la pizza, vous pouvez préparer une entrée de prosciutto-melon. Pour la méthode, consultez les idées en 5 minutes à la page 35.

préparation : **5 à 7 min**
cuisson : **15 à 20 min**
portions : **4**

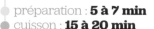

Ingrédients vedettes

PIZZA À LA ROQUETTE ET AU PROSCIUTTO

- 1 **pâte à pizza** précuite ou 1 pain plat italien (environ 400 g / 14 oz)
- 125 ml (1/2 tasse) de **sauce à pizza** du commerce
- 2 **tomates** tranchées
- **Poivre** concassé
- 375 ml (1 1/2 tasse) de **fromage mozzarella** râpé
- 250 ml (1 tasse) de jeunes pousses de **roquette**
- 2,5 ml (1/2 c. à thé) d'**huile d'olive**
- 2,5 ml (1/2 c. à thé) de **vinaigre balsamique blanc**
- **Sel** et **poivre** concassé
- 75 g (2,5 oz) de **prosciutto** tranché très finement

1. Préchauffer le four à 200 °C (400 °F).
2. Étendre la sauce sur la pâte à pizza. Disposer les tranches de tomate sur toute la surface, poivrer généreusement et recouvrir de fromage.
3. Cuire au four pendant 15 à 20 minutes, ou jusqu'à ce que le fromage soit doré.
4. Pendant ce temps, dans un bol, mélanger la roquette, l'huile et le vinaigre. Assaisonner de sel et de poivre.
5. À la sortie du four, garnir la pizza de prosciutto et de salade de roquette. Servir.

● CONSEIL RAPIDO

Le prosciutto est un jambon cru issu de la fesse des cochons. Sa fabrication est assez complexe et demande une bonne dose de savoir... et de temps. C'est en visitant une de ces charcuteries en Italie que j'ai compris tout le travail qui se cache derrière ces petites tranches de jambon cru. Au Canada, on produit également du prosciutto. À votre prochaine visite au comptoir des charcuteries, demandez à goûter le prosciutto canadien, qui se vend environ deux fois moins cher que l'italien.

VALEUR NUTRITIVE
(par portion)

Énergie : **456 Cal**
Protéines : **26 g**
Matières grasses : **14 g**
Glucides : **57 g**
Fibres : **4,2 g**
Sodium : **996 mg**

● VOUS AVEZ PLUS DE TEMPS ?

Préparez une entrée de courgettes grillées. Pour la méthode, consultez les idées en 5 minutes à la page 39. Remplacez les épices à la marocaine par de l'ail haché, du poivre et du fromage parmesan fraîchement râpé. Un délice !

PIZZA AU POULET, FROMAGE DE CHÈVRE ET PESTO

Ingrédients vedettes

- 125 ml (1/2 tasse) de **sauce tomate** nature
- 80 ml (1/3 tasse) de **pesto de basilic**
- 1 **pain plat** italien du commerce, nature ou aux fines herbes (environ 400 g / 14 oz)
- 300 g (3/4 lb) de **poitrines de poulet** cuites, effilochées (environ 2 demi-poitrines)
- 4 **oignons verts** hachés finement (parties blanche et verte)
- 80 ml (1/3 tasse) d'**olives noires** séchées au soleil (dénoyautées de préférence)
- 100 g à 150 g (3,5 à 5 oz) de **fromage de chèvre** non affiné à pâte molle
- 60 ml (1/4 tasse) de **basilic** frais

1. Préchauffer le four à 200 °C (400 °F).
2. Dans un petit bol, mélanger la sauce avec 60 ml (1/4 tasse) de pesto. Étendre la moitié de cette préparation sur le pain plat.
3. Répartir le poulet, les oignons verts et les olives. Ajouter le reste de la sauce.
4. Répartir le fromage de chèvre. Ajouter le reste du pesto et cuire au four sur la grille du haut pendant 10 minutes.
5. Terminer la cuisson sous le gril (à *broil*) pendant 3 à 5 minutes. Sortir du four, garnir de basilic frais et servir.

● **CONSEIL RAPIDO**

J'ai toujours du poulet cuit dans le congélateur et je suis bien heureuse de n'avoir qu'à le sortir quand je manque de temps pour cuire des poitrines de poulet. Lorsqu'elles sont vendues à bon prix, j'en achète plus et je les fais bouillir entières avec une carotte, un oignon et du laurier. Une fois cuites et égouttées, je les congèle emballées individuellement dans un sac de plastique, en retirant l'air. Tranché, haché ou en dés, ajoutez le poulet à vos salades, sandwichs, pizzas, soupes et caris indiens. C'est pratique !

VALEUR NUTRITIVE *(par portion)*
Énergie : **509 Cal**
Protéines : **38 g**
Matières grasses : **15 g**
Glucides : **54 g**
Fibres : **3,7 g**
Sodium : **736 mg**

● **VOUS AVEZ PLUS DE TEMPS ?**

Pizza et salade font bon ménage. Accompagnez chaque pointe d'une généreuse portion de salade verte arrosée de vinaigrette maison à base d'huile d'olive, de moutarde de Dijon et de vinaigre balsamique.

Ingrédients vedettes

SOUS-MARIN AU POULET ET AUX LÉGUMES GRILLÉS

- 300 g (3/4 lb) de **poitrines de poulet** (environ 2 demi-poitrines)
- 1 **oignon rouge** en gros dés
- 1 **courgette verte** (zucchini) en tranches
- 1 **poivron rouge** en gros dés
- 1 **poivron jaune** en gros dés
- 15 ml (1 c. à soupe) d'**huile d'olive**
- 15 ml (1 c. à soupe) de **vinaigre de vin** blanc ou rouge
- 15 ml (1 c. à soupe) de **fromage parmesan** râpé
- **Poivre** concassé
- 4 **pains à sous-marin** ou pains ciabatta
- 60 ml (1/4 tasse) de **pesto de basilic**

1. Préchauffer le gril du four (à *broil*) et placer une grille sur la position du haut et une grille au centre.
2. Couper les poitrines de poulet en deux sur le sens de l'épaisseur. Recommencer avec chaque moitié de façon à obtenir 8 tranches de poulet. Déposer le poulet sur une grille placée sur une plaque de cuisson de façon à occuper la moitié de la surface de la plaque.
3. Dans un grand bol, mélanger les légumes, l'huile, le vinaigre, le parmesan et le poivre. Étendre sur l'autre moitié de la plaque de cuisson.
4. Placer la plaque sur la grille du haut. Cuire sous le gril du four de 10 à 12 minutes, jusqu'à ce que les légumes et le poulet soient dorés. Ne pas retourner. Pendant la cuisson du poulet et des légumes, mettre les pains sur la grille du centre pour les réchauffer.
5. Couper chaque pain sur le sens de la longueur, ajouter des légumes, 2 morceaux de poulet et 15 ml (1 c. à soupe) de pesto. Servir.

● CONSEIL RAPIDO

J'ai toujours du pain dans le congélateur. Une baguette, des ciabattas, des miches, des pains à sous-marin... Parfois, je n'ai pas le temps d'arrêter à la boulangerie et du pain qui n'est plus frais, ça ne me dit rien ! Alors mon truc, c'est de passer le pain congelé sous l'eau froide pendant 2 secondes, de le secouer et de le décongeler au four à 180 °C (350 °F) pendant 10 minutes. Vous craquerez pour la mie tendre et la croûte croustillante !

VALEUR NUTRITIVE
(par portion)
Énergie : **324 Cal**
Protéines : **23 g**
Matières grasses : **10 g**
Glucides : **35 g**
Fibres : **3,6 g**
Sodium : **420 mg**

● VOUS AVEZ PLUS DE TEMPS ?

Transformez le sous-marin en paninis pressés. Utilisez une poêle striée et écrasez vos sandwichs avec une brique ou un autre objet lourd recouvert de papier aluminium. Ajoutez du fromage provolone, ce sera encore meilleur.

SALADE CÉSAR AU POULET GRILLÉ

Ingrédients vedettes

- 300 g (3/4 lb) de **poitrines de poulet**, en cubes (environ 2 demi-poitrines)
- Le jus de 1/2 **citron**
- 5 ml (1 c. à thé) d'**huile d'olive**
- 5 ml (1 c. à thé) d'**ail** haché finement ou en purée
- 2 tranches de **prosciutto** (jambon cru italien)
- 1 **laitue romaine** lavée et déchiquetée ou mélange de jeunes pousses (mesclun)
- 250 ml (1 tasse) de gros **croûtons** du commerce
- 15 ml (1 c. à soupe) de **câpres** égouttées
- 15 ml (1 c. à soupe) de fromage **parmesan** râpé

VINAIGRETTE CÉSAR ALLÉGÉE

- 125 ml (1/2 tasse) de **yogourt** nature
- 15 ml (1 c. à soupe) de fromage **parmesan** râpé
- 2,5 ml (1/2 c. à thé) de chacun : **sauce Worcestershire**, **moutarde** sèche et **ail** haché
- **sel** et **poivre** concassé

1. Préchauffer le gril du four (à *broil*). Placer la grille à la position du haut.
2. Dans un grand bol, mélanger les cubes de poulet, le jus de citron, l'huile et l'ail. Enfiler le poulet sur 4 tiges de bambou et aligner les brochettes sur une grille placée sur une plaque de cuisson.
3. Cuire sous le gril du four 7 minutes, tourner les brochettes et cuire 7 minutes de plus ou jusqu'à ce qu'elles soient bien dorées.
4. Pendant ce temps, placer le prosciutto entre deux feuilles d'essuie-tout et cuire au four à micro-ondes 2 minutes, jusqu'à ce qu'il devienne sec et cassant. Laisser refroidir quelques minutes puis émietter.
5. Dans un saladier, mélanger la laitue, les croûtons, les câpres, le parmesan et les miettes de prosciutto.
6. Dans un petit bol, mélanger tous les ingrédients de la vinaigrette. Ajouter la quantité désirée à la salade et mélanger. Servir immédiatement.

VALEUR NUTRITIVE
(par portion)
Énergie : **201 Cal**
Protéines : **25 g**
Matières grasses : **5 g**
Glucides : **14 g**
Fibres : **3,8 g**
Sodium : **429 mg**

● **VOUS AVEZ PLUS DE TEMPS ?**

Doublez la portion de poulet mariné, ce sera très pratique pour préparer des sandwichs pour vos lunchs. Calculez 600 g (20 oz) de poulet, le jus d'un citron et 10 ml (2 c. à thé) d'huile et d'ail et poursuivez la recette telle quelle. Vous ferez d'une pierre deux coups.

● **CONSEIL RAPIDO**

Essayez cette vinaigrette César préparée à base de yogourt. Elle est surprenante ! À titre de comparaison, 30 ml (2 c. à soupe) de cette vinaigrette santé contiennent à peine 1 gramme de gras, alors que la même quantité de vinaigrette César commerciale contient plus de 15 grammes de gras ! Vous pouvez donc en ajouter une, deux ou trois cuillérées à votre salade sans la moindre culpabilité.

Ingrédients vedettes

BAGUETTE AU BŒUF ET PORTOBELLO

- 150 ml (2/3 tasse) de **vinaigre de vin** blanc
- 15 ml (1 c. à soupe) d'**huile d'olive**
- 15 ml (1 c. à soupe) de **sucre**
- 2,5 ml (1/2 c. à thé) de **flocons de piment fort**
- **Poivre** concassé
- 450 g (1 lb) de **bœuf** en fines tranches (pour fondue chinoise)
- 150 g (3 oz) de **champignons portobello** ou portobellini en fines tranches
- 1 **pain** baguette
- 500 ml (2 tasses) de **roquette** ou de jeunes pousses d'épinard
- 2 **tomates** en tranche
- **Fleur de sel**

1. Préchauffer le gril du four (à *broil*). Placer la grille à la position du haut.
2. Dans un grand bol, mélanger le vinaigre, l'huile, le sucre, le piment et le poivre. Réserver la moitié de cette vinaigrette dans un petit bol.

3. Ajouter les tranches de bœuf et les champignons dans le grand bol. Laisser mariner quelques minutes.
4. Pendant ce temps, diviser la baguette de pain en 8 parties et couper chaque partie sur l'épaisseur. Trancher les tomates.
5. Répartir la viande et les champignons sur une plaque de cuisson doublée de papier parchemin. Cuire au four sous le gril pendant 10 minutes, sans retourner les ingrédients.
6. Garnir chaque morceau de pain de quelques tranches de viande et de champignons. Ajouter dans l'ordre de la roquette, des tranches de tomates, un filet de la vinaigrette réservée à l'étape 2 et une pincée de fleur de sel. Servir immédiatement.

● CONSEIL RAPIDO

On peut utiliser le bœuf à fondue autrement que pour la fondue chinoise ! Ces minces tranches de bœuf permettent de réaliser des repas en un clin d'œil. Sous-marin, panini, sauté asiatique, soupe-repas... Plusieurs épiceries proposent maintenant une grande variété de viandes à fondue, emballées sous vide et surgelées. Offrez-vous la viande de wapiti, d'autruche, de cerf, de bison, d'agneau ou de canard... et c'est souvent à peine plus cher que le bœuf et le poulet.

VALEUR NUTRITIVE
(par portion)
Énergie : **411 Cal**
Protéines : **31 g**
Matières grasses : **11 g**
Glucides : **44 g**
Fibres : **3,1 g**
Sodium : **522 mg**

● VOUS AVEZ PLUS DE TEMPS ?

Oubliez le sandwich. Remplacez le bœuf à fondue par de vrais steaks et faites-les mariner avec les champignons avant de les faire griller au barbecue ou dans une poêle striée. Accompagnez-les d'une salade de roquette et de tomates et de tranches de pain baguette. La même recette, mais présentée autrement !

Ingrédients vedettes

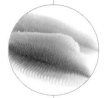

POISSON PANÉ

- 250 ml (1 tasse) de **flocons d'avoine** à cuisson rapide
- 125 ml (1/2 tasse) de **chapelure** de blé entier à l'italienne
- 45 ml (3 c. à soupe) de **ciboulette** hachée
- 5 ml (1 c. à thé) d'**ail** haché
- 1 pincée de **piment de Cayenne**
- **Sel** et **poivre** concassé
- 30 ml (2 c. à soupe) d'**huile d'olive**
- 125 ml (1/2 tasse) de **farine** tout usage
- 2 **œufs** battus avec 30 ml (2 c. à soupe) d'eau
- 450 g (1 lb) de **poisson** (pangasius ou tilapia) en gros dés
- 1 **citron** en quartiers

1. Préchauffer le four à 225 °C (450 °F).
2. Dans un grand bol, mélanger à la fourchette l'avoine, la chapelure, la ciboulette, l'ail, le piment, le sel et le poivre. Ajouter l'huile et mélanger de nouveau pour bien répartir l'huile.
3. Verser la farine dans un bol, puis les œufs et l'eau dans un autre bol.
4. Pour la panure, plonger les cubes de poisson dans la farine et mélanger pour enrober. Tremper rapidement chaque morceau dans l'œuf puis l'enrober du mélange d'avoine.
5. Placer sur une plaque de cuisson doublée d'un papier parchemin et cuire au four 10 minutes ou jusqu'à ce que la panure soit dorée.
6. Servir avec des quartiers de citron et une salade verte.

● **CONSEIL RAPIDO**

Quand on y pense, faire soi-même des bâtonnets de poisson, ça ne prend pas beaucoup plus de temps. Vos bâtonnets maison seront moins gras et moins salés et ne contiendront pas de glutamate monosodique, d'inosinate disodique, de phosphate d'aluminium... ni tous ces additifs alimentaires superflus contenus dans les bâtonnets de poisson du commerce. Demandez un poisson qui demeure bien ferme à la cuisson, comme le pangasius, le tilapia ou encore la sole.

VALEUR NUTRITIVE
(par portion)
Énergie : **458 Cal**
Protéines : **33 g**
Matières grasses : **14 g**
Glucides : **49 g**
Fibres : **5,3 g**
Sodium : **226 mg**

● **VOUS AVEZ PLUS DE TEMPS ?**
Préparez une **sauce tartare légère**. Dans un petit bol, mélangez 125 ml (1/2 tasse) de fromage blanc (quark ou damablanc) avec quelques petits cornichons sucrés, du persil et de la ciboulette, tous hachés finement, une pincée de sel et du poivre au goût.

FAJITAS DE VEAU

Ingrédients vedettes

- 450 g (1 lb) d'**escalopes de veau** (ou de poulet) coupées en lanières
- 1 **oignon rouge** émincé
- 1 **poivron rouge** en julienne
- 1 **poivron jaune** en julienne
- 1 courgette verte (**zucchini**) en fines tranches
- 1 tasse (250 ml) de **salsa mexicaine** (du commerce)
- 1/2 tasse (125 ml) de **crème sure** (5 % m.g.)
- 1 tasse (250 ml) de fromage **cheddar** râpé
- 1 **tomate** fraîche en dés
- 8 petites **tortillas** de blé entier

1. Dans une poêle striée antiadhésive, griller les lanières de veau 3 minutes à feu vif, sans ajouter de matière grasse. Transvider dans un bol doublé de papier essuie-tout et réserver.
2. Ajouter l'oignon à la poêle et cuire 5 minutes à feu moyen-vif. Ajouter les poivrons et les courgettes et poursuivre la cuisson 5 minutes de plus. Ajouter le veau et la moitié de la salsa, mélanger et retirer du feu.
3. Chauffer les tortillas au four à micro-ondes.
4. Placer le reste de la salsa, la crème sure, le fromage et les tomates dans de petits bols au centre de la table. Ajouter la poêle de veau et de légumes sautés sur la table (utiliser un sous-plat).
5. Servir deux tortillas chaudes par personne. Chacun garnit les tortillas à son goût en ajoutant le veau, les légumes, la salsa, la crème sure et le fromage. Plier une extrémité pour empêcher la garniture de s'échapper. Rouler et déguster.

● **CONSEIL RAPIDO**

Douces ou piquantes, avec haricots noirs, mangue, lime ou maïs, les salsas mexicaines du commerce sont d'excellents dépanneurs pour ajouter variété et exotisme en un coup de cuillère ! Certaines sont plutôt salées, alors n'ajoutez pas de sel à votre repas. J'utilise aussi la salsa mexicaine comme sauce à pizza ou en trempette pour des crudités et des pointes de tortillas grillées (voir la recette, page 192). Si vous voulez préparer une salsa maison, consultez les idées en 5 minutes à la page 37.

VALEUR NUTRITIVE
(par portion)
Énergie : **445 Cal**
Protéines : **36 g**
Matières grasses : **19 g**
Glucides : **33 g**
Fibres : **5,9 g**
Sodium : **890 mg**

● **VOUS AVEZ PLUS DE TEMPS ?**
Préparez une salsa composée de dés de mangue, d'avocat et de tomate, d'un filet d'huile d'olive et de jus de citron et d'un trait de sauce piquante (de type Tabasco). Un accompagnement à la fois relevé et rafraîchissant.

«On a tous un repas doudou préféré. Celui qui nous réconforte, qui nous rappelle notre enfance, qui nous fait plaisir. Celui qu'on a envie de manger quand il fait gris. Celui qu'on aimerait qu'on nous prépare quand la journée a mal été.»

pur réconfort

Ingrédients vedettes

GRATIN AU THON À LA MÉDITERRANÉENNE

- 1 petite **aubergine** (environ 300 g / 10 oz)
- 5 ml (1 c. à thé) d'**huile**
- 1 **oignon rouge** coupé en 8
- 1 **poivron rouge** en gros cubes
- 1 **courgette verte** tranchée
- 2 gousses d'**ail** tranchées
- 1 boîte de 796 ml (28 oz) de **tomates en dés**, égouttées
- 2 boîtes de 170 g (6 oz) de **thon** pâle en morceaux, égoutté
- 15 ml (1 c. à soupe) d'**herbes de Provence**
- **Poivre** concassé
- 100 g (3,5 oz) de **fromage mozzarella** râpé (environ 250 ml / 1 tasse)
- 60 ml (1/4 tasse) de **fromage parmesan** râpé

1. Préchauffer le gril du four (à *broil*). Placer la grille à la position du haut.
2. Retirer les extrémités de l'aubergine, taillez l'aubergine en quartiers sur la longueur et retirer une partie du cœur. Trancher les quartiers d'aubergine.
3. Dans une poêle antiadhésive à hauts rebords, faire sauter les tranches d'aubergine et l'oignon dans l'huile 5 à 7 minutes à feu vif en remuant de temps à autre, jusqu'à ce que les aubergines soient grillées.
4. Ajouter le poivron, la courgette et l'ail, et poursuivre la cuisson 5 minutes à feu moyen-vif.
5. Ajouter les tomates et le thon. Il est important de bien égoutter les tomates.
6. Assaisonner d'herbes de Provence et de poivre, et mélanger. Cuire 2 minutes, jusqu'au premier bouillon.
7. Verser la préparation dans un plat rectangulaire allant au four. Garnir de fromage et passer sous le gril du four (à *broil*) 3 minutes ou jusqu'à ce que le fromage soit doré.
8. Servir avec du pain frais.

● CONSEIL RAPIDO

Dans cette recette, remplacez les poivrons rouges par des verts si ces derniers viennent du Québec et les autres... du Chili ! Saviez-vous que si toutes les semaines, chaque famille remplaçait 20 $ d'achats par des produits du Québec, plus de 100 000 emplois pourraient être créés ? Et près du tiers des camions qui sillonnent les routes contiennent des aliments, ce qui représente une source importante de pollution. Alors, pour l'environnement, l'économie, le goût et la santé, surveillez la provenance des fruits et légumes que vous achetez !

VALEUR NUTRITIVE *(par portion)*
Énergie : **192 Cal**
Protéines : **22 g**
Matières grasses : **6 g**
Glucides : **13 g**
Fibres : **4,4 g**
Sodium : **209 mg**

● VOUS AVEZ PLUS DE TEMPS ?

Remplacez le thon en conserve par du poisson frais, au choix. Faites-le cuire à l'étape 4. Réduisez le feu à moyen et poursuivez la cuisson 5 minutes.

Ingrédients vedettes

CROQUETTES DE SAUMON À L'ANETH

- 2 boîtes de **saumon** de 213 g (7,5 oz) chacune
- 500 ml (2 tasses) de **riz cuit** ou 180 ml (3/4 tasse) de riz cru et cuit selon la méthode habituelle
- 125 ml (1/2 tasse) de **chapelure** italienne
- 125 ml (1/2 tasse) de **yogourt** nature
- 60 ml (1/4 tasse) d'**oignon rouge** haché
- 1/2 **courgette jaune** ou verte (zucchini) coupée en petits dés
- 1/2 **poivron jaune** haché finement
- 2 **œufs**
- 30 ml (2 c. à soupe) d'**aneth séché**
- 5 ml (1 c. à thé) de **moutarde de Dijon**
- **Poivre** concassé
- Quartiers de **citron** et **sauce cocktail** ou **chili** (facultatif)

1. Préchauffer le four à 200 °C (400 °F).
2. Égoutter le saumon et enlever la peau et une partie des arêtes (si désiré).
3. Dans un grand bol, mélanger tous les ingrédients ensemble.
4. Former des boules de la grosseur d'un gros œuf, les déposer sur une plaque de cuisson doublée de papier parchemin et les aplatir à l'aide d'une fourchette.
5. Cuire au four pendant 20 minutes ou jusqu'à ce qu'elles soient légèrement dorées.
6. Servir avec un quartier de citron et de la sauce cocktail (ou chili).

● **CONSEIL RAPIDO**

Cette recette est excellente pour passer les restes, ou en créer d'autres ! Je m'explique : si vous avez un reste de riz, d'orge ou de millet cuit, utilisez-le dans cette recette. Même chose s'il vous reste une portion de saumon, de truite ou d'un autre poisson. Si vous n'en avez pas, créez-en ! Faites cuire deux fois plus de riz et de saumon, et transformez ces surplus en salade-repas en ajoutant un poivron rouge en dés, une poignée de maïs surgelé, des épices cajun, du jus de citron et de la coriandre fraîche hachée.

VALEUR NUTRITIVE
(par portion)
Énergie : **283 Cal**
Protéines : **22 g**
Matières grasses : **8 g**
Glucides : **32 g**
Fibres : **1,6 g**
Sodium : **286 mg**

● **VOUS AVEZ PLUS DE TEMPS ?**

Accompagnez vos croquettes de haricots verts aux amandes. Pour la recette, consultez les idées en 5 minutes à la page 40.

FARFALLES AU POULET ET À L'ESTRAGON

Ingrédients vedettes

- 250 g (8 oz) de **farfalles** (ou autre pâtes courtes)
- 5 ml (1 c. à thé) d'**huile**
- 1 petit **oignon** haché
- 400 g (13 oz) de **poitrines de poulet** (environ 2 demi-poitrines) en lanières
- 375 ml (1 1/2 tasse) de **champignons** tranchés
- 125 ml (1/2 tasse) de **vin blanc** de table
- 180 ml (3/4 tasse) de **lait**
- 15 ml (1 c. à soupe) de **farine** tout usage
- 5 ml (1 c. à thé) d'**ail** haché
- 1 pincée de **piment de Cayenne**
- 1 pincée de **muscade**
- 100 g (3,5 oz) de **fromage suisse** râpé (environ 250 ml / 1 tasse)
- 60 ml (1/4 tasse) d'**estragon** frais haché
- **Poivre** concassé

1. Cuire les pâtes dans l'eau bouillante salée 10 à 12 minutes ou jusqu'à ce qu'elles soient *al dente*. Égoutter et réserver.
2. Pendant ce temps, dans une poêle antiadhésive à hauts rebords, faire revenir l'oignon et le poulet dans l'huile à feu vif jusqu'à ce que le poulet soit doré. Ajouter les champignons et le vin blanc, et poursuivre la cuisson 5 minutes à feu moyen.
3. Pendant ce temps, dans un grand bol, incorporer en pluie fine la farine au lait et fouetter pour obtenir une préparation lisse et sans grumeaux. Ajouter l'ail, le piment et la muscade, et bien mélanger.
4. Verser la préparation de lait dans la poêle. Remuer et cuire 5 minutes ou jusqu'à ce que la sauce épaississe.
5. Ajouter le fromage, remuer pour faire fondre. Ajouter les pâtes et l'estragon, et mélanger délicatement. Poivrer généreusement et servir.

● CONSEIL RAPIDO

Je n'avais pas l'habitude d'utiliser l'estragon frais, mais je l'ai redécouvert dernièrement et j'aime bien son parfum anisé. Il donne du caractère à mes recettes ! Consommez-le de préférence frais ou congelé, car il perd beaucoup de saveur lorsqu'il est séché. Ajoutez-en peu pour commencer et ajustez ensuite. Sa saveur intense mérite d'être apprivoisée !

VALEUR NUTRITIVE *(par portion)*
Énergie : **516 Cal**
Protéines : **41 g**
Matières grasses : **11 g**
Glucides : **56 g**
Fibres : **2,8 g**
Sodium : **141 mg**

● VOUS AVEZ PLUS DE TEMPS ?

Ajoutez la moitié d'un bulbe de fenouil émincé (partie blanche seulement) avec l'oignon à l'étape 2. Faites cuire quelques minutes de plus. La saveur anisée du fenouil se marie bien avec le parfum de l'estragon. Un poivron rouge en lanières ajouterait aussi une touche de couleur à ce plat.

Ingrédients vedettes

GRATIN DE CHOU-FLEUR ET DE CREVETTES

- 1 **chou-fleur**, en petits bouquets
- 500 ml (2 tasses) de **crevettes** surgelées, décortiquées et équeutées
- 5 ml (1 c. à thé) d'**huile**
- 125 ml (1/2 tasse) d'**oignon jaune** haché finement
- 10 ml (2 c. à thé) d'**ail** haché
- 750 ml (3 tasses) de **lait**
- 80 ml (1/3 tasse) de **farine** tout usage
- 750 ml (3 tasses) de **fromage Allégro** 4 % m.g. (ou autre fromage allégé)
- 15 ml (1 c. à soupe) de **ciboulette** hachée finement
- 2,5 ml (1/2 c. à thé) de **muscade**
- 1 pincée de **piment de Cayenne**
- **Sel** et **poivre** concassé

1. Cuire le chou-fleur à couvert à feu vif dans une casserole contenant 2,5 cm (1 po) d'eau au fond. Ajouter les crevettes 5 minutes avant la fin de la cuisson. Égoutter et placer dans un plat rectangulaire allant au four.

2. Pendant ce temps, dans une casserole moyenne, mettre l'huile et l'oignon et cuire 2 minutes à feu moyen-vif. Ajouter l'ail et 500 ml (2 tasses) de lait et porter à ébullition à feu moyen-vif en fouettant régulièrement.

3. Dans un petit bol, incorporer en pluie fine la farine au reste de lait et fouetter pour obtenir une préparation lisse et sans grumeaux. Ajouter dans la casserole et remuer jusqu'à épaississement.

4. Préchauffer le gril du four (à *broil*). Placer la grille à la position du haut.

5. Ajouter 250 ml (1 tasse) de fromage râpé et remuer pour faire fondre. Assaisonner généreusement avec la ciboulette, la muscade, le piment, le sel et le poivre. Goûter et ajuster au besoin.

6. Verser la béchamel sur le chou-fleur et les crevettes. Ajouter le reste du fromage râpé et griller au four pendant 5 minutes où jusqu'à ce que le fromage soit doré.

● CONSEIL RAPIDO

En crudité, cuit à la vapeur, en potage et en gratin, le chou-fleur est à la fois polyvalent, économique et nutritif. Et dans cette recette, je mets un droit de veto sur les restes. Que personne n'y touche, ils sont à moi ! À l'épicerie, choisissez un chou-fleur bien compact, sans petites taches brunes. Il se conservera 2 semaines au frigo. Essayez aussi les nouvelles variétés colorées. Un chou-fleur orange, vert ou mauve, ça fait jaser !

VALEUR NUTRITIVE *(par portion)*
Énergie : **405 Cal**
Protéines : **55 g**
Matières grasses : **7 g**
Glucides : **30 g**
Fibres : **4,4 g**
Sodium : **712 mg**

● VOUS AVEZ PLUS DE TEMPS ?

Faites cuire 200 g (6,5 oz) de pâtes alimentaires dans l'eau bouillante salée et ajoutez-les à la casserole de crevettes et de chou-fleur. Vous obtiendrez un délicieux plat de pâtes en sauce crémeuse, à faire gratiner si vous le souhaitez. La recette vous donnera 2 portions de plus... Idéal si des amis s'invitent à la dernière minute !

Ingrédients vedettes

SOUPE THAÏ À LA NOIX DE COCO

- 5 ml (1 c. à thé) d'**huile**
- 1 **oignon jaune** haché finement
- 1 branche de **céleri** hachée
- 1 **poivron rouge** en dés
- 10 ml (2 c. à thé) de **gingembre** haché
- 750 ml (3 tasses) de **bouillon de poulet** maison ou du commerce, réduit en sodium
- 1 boîte de 400 ml (13 oz) de **lait de coco** léger
- 375 ml (1 1/2 tasse) de **poulet** cuit en dés ou de crevettes cuites
- 2,5 ml (1/2 c. à thé) de **flocons de piment fort**
- 30 ml (2 c. à soupe) de **coriandre** fraîche hachée finement

1. Dans une marmite, faire revenir l'oignon dans l'huile 2 minutes à feu moyen-vif.
2. Ajouter le céleri, le poivron et le gingembre, et cuire 5 minutes de plus.
3. Verser le bouillon et le lait de coco. Ajouter le poulet et le piment. Mélanger, porter à ébullition et laisser mijoter 10 minutes.
4. Garnir chaque portion de coriandre et servir.

● **CONSEIL RAPIDO**

Le lait de coco, fabriqué à partir de la pulpe de la noix pressée et filtrée, est vendu principalement en conserve dans le rayon de la cuisine ethnique. Ne vous étonnez pas s'il y a une couche dense à la surface de la conserve. C'est le gras qui a figé. Mélangez le contenu à la cuillère pour retrouver un lait crémeux. J'adore la saveur particulière qu'il ajoute aux plats asiatiques et indiens. Toutefois, le lait de coco est riche en gras saturés, de mauvais gras pour la santé, et sa teneur en gras se compare à la crème 35 %, alors n'en abusez pas !

VALEUR NUTRITIVE
(par portion)
Énergie : **269 Cal**
Protéines : **22 g**
Matières grasses : **17 g**
Glucides : **10 g**
Fibres : **2,4 g**
Sodium : **117 mg**

● **VOUS AVEZ PLUS DE TEMPS ?**

Ajoutez des champignons shiitakes déshydratés. Faites tremper une dizaine de champignons dans l'eau bouillante environ 30 minutes ou jusqu'à ce qu'ils soient tendres. Coupez-les en lanières et ajoutez-les à la soupe à l'étape 3. Remplacez une partie du bouillon par l'eau de trempage des champignons qui sera très parfumée.

**Ingrédients
vedettes**

PENNES AU POULET ET AUX LÉGUMES GRILLÉS

- 375 ml (1 1/2 tasse) de **pennes** sèches ou 750 ml (3 tasses) de pennes cuites
- 6 **hauts de cuisse de poulet** désossés, sans la peau, en dés
- 1/2 **oignon rouge** haché grossièrement
- 1 **courgette verte** (zucchini) tranchée
- 1 petite **aubergine** en dés
- 1 **poivron jaune** en dés
- 1 **poivron rouge** en dés
- 1 **tomate** en dés
- 10 ml (2 c. à thé) d'**huile d'olive**
- 125 ml (1/2 tasse) de **basilic** frais
- 60 ml (1/4 tasse) de copeaux de **parmesan**
- **Poivre** concassé
- **Fleur de sel**

1. Cuire les pennes dans l'eau bouillante salée de 10 à 12 minutes ou jusqu'à ce qu'elles soient *al dente*. Égoutter et réserver.
2. Pendant ce temps, dans une poêle striée, cuire le poulet de 5 à 7 minutes à feu vif, sans ajouter de matière grasse. Égoutter le gras à la mi-cuisson. Transvider le poulet dans un bol doublé d'un papier essuie-tout.
3. Ajouter dans la poêle tous les légumes, sauf les tomates, et cuire à feu vif pendant 5 à 7 minutes en remuant régulièrement.
4. Lorsque les légumes sont cuits, ajouter les pâtes, le poulet et les tomates, remuer délicatement, poursuivre la cuisson 2 minutes à feu moyen et transvider dans les plats de service. Ajouter un filet d'huile d'olive et garnir de basilic, de parmesan, de poivre et d'une pincée de fleur de sel.

VALEUR NUTRITIVE
(par portion)

Énergie : **539 Cal**
Protéines : **56 g**
Matières grasses : **14 g**
Glucides : **47 g**
Fibres : **8,4 g**
Sodium : **343 mg**

● **VOUS AVEZ PLUS DE TEMPS ?**
Doublez la portion de légumes grillés (oignon, courgette, aubergine et poivron) à l'étape 3. Conservez le surplus de légumes dans un plat hermétique au frigo, avec de l'huile et du vinaigre balsamique. Ajoutez-les à vos sandwichs ou sur vos pizzas.

● **CONSEIL RAPIDO**
Lorsqu'une recette, comme celle-ci, contient une moitié d'oignon, hachez-le quand même au complet. Conservez le reste au frigo ou congelez-le. La prochaine fois, ce sera fait ! Vous n'aurez pas besoin de sortir de planche à découper et de couteau. Faites de même avec l'ail, le gingembre, les échalotes françaises... Prenez de l'avance !

Ingrédients vedettes

FEUILLETÉ DE SAUMON AUX CHAMPIGNONS

- 200 g (6,5 oz) de **pâte feuilletée** du commerce décongelée
- 1 **œuf** battu avec un peu d'eau
- 5 ml (1 c. à thé) d'**huile**
- 1 **oignon** haché finement
- 300 g (10 oz) de **champignons** tranchés, au choix (blanc, café, shiitake, pleurote)
- 5 ml (1 c. à thé) d'**ail** haché
- 2 boîtes de **saumon** de 213 g (7 oz) chacune
- 375 ml (1 1/2 tasse) de **lait**
- 30 ml (2 c. à soupe) de **farine** tout usage
- 250 ml (1 tasse) de **fromage Allégro** 4 % m.g. (ou autre fromage allégé)
- 45 ml (3 c. à soupe) de **persil** frais haché
- **Poivre** concassé

1. Préchauffer le four à 200 °C (400 °F).
2. Sur une surface de travail enfarinée, étendre la pâte avec un rouleau à pâte jusqu'à ce qu'elle atteigne une épaisseur de 0,5 cm (1/5 po). Tailler 8 cercles qui serviront à recouvrir la sauce au saumon. Utiliser un ramequin comme modèle. Placer les morceaux de pâte sur une plaque de cuisson doublée de papier parchemin, badigeonner d'œuf battu et cuire 20 minutes au four. Réserver.
3. Pendant ce temps, dans une poêle à hauts rebords, faire revenir l'oignon dans l'huile 2 minutes à feu moyen-vif.
4. Ajouter les champignons et l'ail, et cuire 10 minutes en ne remuant qu'au bout de 5 minutes.
5. Pendant ce temps, égoutter le saumon et enlever la peau et une partie des arêtes (si désiré). Ajouter à la poêle.
6. Dans un bol, incorporer en pluie fine la farine au lait et fouetter pour obtenir une préparation lisse et sans grumeaux. Ajouter dans la poêle et remuer jusqu'à épaississement.
7. Ajouter le fromage, le persil et poivrer généreusement. Mélanger et verser dans des ramequins. Recouvrir d'un morceau de pâte feuilletée et servir accompagné d'une salade verte.

● CONSEIL RAPIDO

Si vous n'avez que peu de temps pour cuisiner, vous ne vous lancerez pas dans la confection de pâte feuilletée ! Heureusement, on en trouve de très bonnes à l'épicerie et dans certaines boulangeries. Consultez la liste des ingrédients et laissez de côté les pâtes à base de shortening. Préférez celles au beurre. Mieux vaut dégeler la pâte la veille au frigo, mais en cas d'urgence, 1 minute au micro-ondes et 30 minutes sur le comptoir feront le travail sans trop endommager la pâte.

VALEUR NUTRITIVE
(par portion)
Énergie : **303 Cal**
Protéines : **22 g**
Matières grasses : **16 g**
Glucides : **18 g**
Fibres : **1,1 g**
Sodium : **252 mg**

● VOUS AVEZ PLUS DE TEMPS ?

Ne faites pas précuire la pâte feuilletée à l'étape 2. Placez les abaisses sur les ramequins à l'étape 7, pressez la pâte avec les doigts sur le tour des ramequins, badigeonnez d'œuf battu et faites cuire 20 minutes au four à 200 °C (400 °F).

Ingrédients vedettes

PÂTES AU THON ET AUX CÂPRES

- 300 g (10 oz) de **spaghettis** de blé entier
- 5 ml (1 c. à thé) d'**huile** d'olive
- 1 **oignon jaune** haché finement
- 5 ml d'**ail** haché
- 2 boîtes de 170 g (6 oz) de **thon** pâle émietté, égoutté
- 60 ml (1/4 tasse) de **câpres** hachées
- 1 boîte de 796 ml (28 oz) de **tomates broyées**
- 125 ml (1/2 tasse) de **basilic** frais, haché
- **Poivre** concassé
- **Caprons** (grosses câpres pour décorer, facultatif)

1. Cuire les pâtes dans l'eau bouillante salée de 10 à 12 minutes ou jusqu'à ce qu'elles soient *al dente*. Égoutter et réserver.
2. Pendant ce temps, dans une poêle antiadhésive à hauts rebords, mettre l'huile et l'oignon et cuire 5 minutes à feu vif.
3. Ajouter l'ail, le thon et les câpres et poursuivre la cuisson 2 minutes en remuant pour bien défaire les flocons de thon.
4. Ajouter les tomates et le basilic et cuire 5 à 7 minutes de plus, toujours à feu vif. Incorporer les spaghettis, remuer délicatement pour enrober et transvider dans des plats de service. Garnir de poivre concassé et décorer de caprons.

● CONSEIL RAPIDO

Les pâtes de blé entier ajouteront des fibres à cette recette. Nourrissantes, elles soutiennent l'appétit plus longtemps que les pâtes blanches. Si votre famille n'a pas encore adopté les pâtes de blé entier, allez-y mollo... Préparez cette recette moitié pâtes blanches, moitié pâtes brunes. Enrobé de cette sauce savoureuse, parions que l'ajout passera inaperçu. Pour une transition en douceur, augmentez les proportions de pâtes brunes au fil des semaines.

VALEUR NUTRITIVE *(par portion)*
Énergie : **460 Cal**
Protéines : **37 g**
Matières grasses : **3 g**
Glucides : **77 g**
Fibres : **10,8 g**
Sodium : **360 mg**

● VOUS AVEZ PLUS DE TEMPS ?

Transformez cette recette de tous les jours en un plat plus raffiné. Remplacez le thon en conserve par des pavés de thon rouge. Faites-les saisir à feu vif des deux côtés dans une poêle striée, mais sans les cuire complètement. Préparez le reste de la sauce telle quelle. Servez le thon grillé sur un nid de pâtes aux câpres.

FONDUE AU FROMAGE

Ingrédients vedettes

- 1 gousse d'**ail** coupée en 2
- 200 g (6,5 oz) de **fromage oka** léger (19 % m.g.) râpé
- 200 g (6,5 oz) de **fromage zurigo** (15 % m.g.) râpé
- 200 g (6,5 oz) de **fromage emmenthal** L'Alpinois (27 % m.g.) râpé
- 180 ml (3/4 tasse) de **vin blanc** de table
- 30 ml (2 c. à soupe) de **fécule de maïs** diluée dans un peu d'eau
- 30 ml (2 c. à soupe) de **kirsch** (eau-de-vie de fruit à 40 % d'alcool)
- 1 pincée de **muscade**
- **Poivre** concassé

ACCOMPAGNEMENTS

- 1 miche de **pain** multigrain (environ 300 g / 10 oz) en cubes
- 300 g (10 oz) de **pommes de terre** grelots cuites
- 200 g (1/2 lb) de **jambon blanc** tranché finement
- 375 ml (1 1/2 tasse) de **raisins** frais
- 1 **pomme** en cubes
- 1 **poivron rouge** en dés

1. Frotter un caquelon (plat à fondue au fromage, voir photo à la page de droite) avec la gousse d'ail. Hacher ensuite l'ail et le mettre dans une casserole moyenne.
2. Ajouter les trois fromages et faire fondre à feu moyen-doux en remuant avec une cuillère de bois. Lorsque le fromage commence à fondre, ajouter le vin et la fécule en remuant.
3. Au premier bouillon, ajouter le kirsch. Réduire le feu, bien remuer et poursuivre la cuisson pour obtenir une préparation lisse et onctueuse. La fondue ne doit pas bouillir.
4. Assaisonner de muscade et de poivre, et transvider dans le caquelon. Placer au centre de la table sur un support avec brûleur.
5. Accompagner de cubes de pain, de jambon, de fruits et de légumes. À l'aide d'une fourchette à fondue, plonger ces aliments dans le fromage et déguster.

VALEUR NUTRITIVE	
(par portion)	
Énergie :	**610 Cal**
Protéines :	**46 g**
Matières grasses :	**22 g**
Glucides :	**50 g**
Fibres :	**6,4 g**
Sodium :	**877 mg**

● **VOUS AVEZ PLUS DE TEMPS ?**

Préparez une salade aux deux raisins en accompagnement. Pour la recette, consultez les idées en 5 minutes à la page 36.

● **CONSEIL RAPIDO**

J'ai osé préparer une fondue au fromage avec des fromages allégés. Imaginez la réaction des employés à la fromagerie lorsque je leur ai parlé de mon plan ! Après l'étonnement et l'incompréhension, ils m'ont tout simplement dit que ça ne fonctionnerait pas. Mais après quelques tests, j'ai trouvé le bon dosage. Utilisez 2/3 de fromage à pâte demi-ferme allégé et 1/3 de fromage emmenthal ou gruyère régulier.

PÂTES CRÉMEUSES AU SAUMON ET AU BROCOLI

Ingrédients vedettes

- 200 g (6,5 oz) de **spaghettis** (ou autre pâtes longues)
- 500 ml (2 tasses) de petits fleurons de **brocoli** (soit 1 grosse tête de brocoli)
- 500 ml (2 tasses) de **lait**
- 30 ml (2 c. à soupe) de **farine tout usage**
- 5 ml (1 c. à thé) d'**ail** haché
- 2,5 ml (1/2 c. à thé) de **muscade**
- 1 pincée de **piment de Cayenne**
- 1 pincée de **sel**
- 450 g (1 lb) de filet de **saumon** frais, sans la peau, coupé en cubes
- 150 g (5 oz) de **fromage de chèvre** à pâte molle non affiné, en tranches
- 60 ml (1/4 tasse) d'**aneth frais**, haché
- **Poivre** concassé

1. Cuire les pâtes dans l'eau bouillante salée de 10 à 12 minutes ou jusqu'à ce qu'elles soient *al dente*. Égoutter et réserver.
2. Pendant ce temps, dans une poêle antiadhésive à hauts rebords, mettre le brocoli et 30 ml (2 c. à soupe) d'eau. Cuire 3 minutes à feu vif ou jusqu'à ce que l'eau soit évaporée.
3. Dans un grand bol, incorporer en pluie fine la farine au lait et fouetter pour obtenir une préparation lisse et sans grumeaux. Ajouter l'ail, la muscade, le piment et le sel, et bien mélanger.
4. Ajouter les dés de saumon à la poêle et griller 2 minutes à feu vif en remuant.
5. Verser la préparation de lait. Remuer, réduire à feu moyen et cuire 5 minutes ou jusqu'à ce que la sauce épaississe.
6. Ajouter le fromage de chèvre. Poursuivre la cuisson en remuant délicatement pour faire fondre le fromage et pour que la sauce enrobe bien le saumon et le brocoli.
7. Retirer du feu, ajouter les pâtes égouttées et mélanger délicatement. Garnir d'aneth et poivrer généreusement au moment de servir.

● CONSEIL RAPIDO

Je ne me lasse jamais du saumon. Sa chair douce et moelleuse convient à mille recettes. Et en plus, il est riche en protéines et en bons gras oméga-3. Drôlement polyvalent, servez-le cru, cuit, fumé, en darne, en filet, poché, grillé... Vous vous inquiétez des contaminants dans le poisson ? Sachez qu'un rapport de l'Institut national de santé publique du Québec a conclu que la consommation de deux repas de saumon de l'Atlantique par semaine ne présente pas de risque de toxicité[16].

VALEUR NUTRITIVE
(par portion)
Énergie : **546 Cal**
Protéines : **37 g**
Matières grasses : **19 g**
Glucides : **50 g**
Fibres : **3,0 g**
Sodium : **299 mg**

● VOUS AVEZ PLUS DE TEMPS ?

Accompagnez les pâtes d'une salade composée de dés de tomate, de concombre et d'oignon rouge, arrosés d'un filet d'huile d'olive et de poivre concassé.

16. Voir références p. 232

**Ingrédients
vedettes**

POTAGE AUX HARICOTS BLANCS, SALSA DE TOMATE ET BASILIC

- 5 ml (1 c. à thé) d'**huile d'olive**
- 1 petit **oignon jaune** coupé en 4
- 1 sac de 250 g (8 oz) de **poireau** en rondelles ou 1 gros poireau haché (partie blanche seulement)
- 1 gousse d'**ail** entière
- 1 boîte de 540 ml (19 oz) de **haricots blancs**, rincés et égouttés
- 1 litre (4 tasses) de **bouillon de poulet** maison ou du commerce, réduit en sodium
- 2 **tomates** bien mûres en dés
- 125 ml (1/2 tasse) de **basilic frais** haché
- 5 ml (1 c. à thé) d'**huile d'olive**
- **Sel** et **poivre** concassé

1. Dans une marmite, cuire dans l'huile l'oignon et le poireau environ 3 minutes à feu vif ou jusqu'à ce qu'ils deviennent translucides mais sans dorer.
2. Ajouter l'ail, les haricots et le bouillon. Porter à ébullition, réduire à feu moyen, couvrir et laisser mijoter 15 minutes.
3. Pendant ce temps, dans un bol, mélanger les tomates, le basilic et l'huile. Ajouter un peu de sel et poivrer généreusement.
4. Au mélangeur électrique ou à l'aide d'un pied mélangeur, réduire le contenu de la marmite en purée. Transvider dans 4 bols de service.
5. Garnir chaque portion de salsa et servir avec du pain baguette chaud.

● CONSEIL RAPIDO

Un potage crémeux sans crème, c'est possible ? On y arrive grâce aux haricots blancs. Une fois réduits en purée, ils donnent une texture onctueuse, tout en passant inaperçus. Les durs de durs qui ne veulent rien savoir des légumineuses (j'en connais !) n'y verront que du feu. Une façon astucieuse d'ajouter des protéines et des fibres à ce savoureux potage.

**VALEUR
NUTRITIVE**
(par portion)
Énergie : **272 Cal**
Protéines : **17 g**
Matières grasses : **3 g**
Glucides : **47 g**
Fibres : **9,2 g**
Sodium : **135 mg**

● VOUS AVEZ PLUS DE TEMPS ?

Ajoutez des dés de mangue à la salsa et remplacez le basilic par de la ciboulette. Vous pouvez aussi doubler la recette de salsa et en servir le lendemain sur des croûtons à l'apéro.

préparation : **5 min**
cuisson : **22 min**
portions : **4 à 6**

SOUPE-REPAS AUX LÉGUMES ET HARICOTS ROUGES

Ingrédients vedettes

- 5 ml (1 c. à thé) d'**huile d'olive**
- 10 ml (2 c. à thé) d'**ail** haché
- 750 ml (3 tasses) de mélange de **légumes surgelés** en dés
- 500 ml (2 tasses) de **bouillon de poulet** maison ou du commerce, réduit en sodium
- 1 boîte de 796 ml (28 oz) de **tomates étuvées** en dés
- 1 boîte de 540 ml (19 oz) de **haricots rouges**, rincés et égouttés
- 125 ml (1/2 tasse) de **basilic** frais haché
- 30 ml (2 c. à soupe) de **parmesan** râpé
- **Poivre** concassé

1. Dans une grande marmite, chauffer l'huile à feu vif. Ajouter l'ail et les légumes surgelés, et cuire 5 minutes en remuant.
2. Ajouter le bouillon de poulet et les tomates, et porter à ébullition. Laisser mijoter 10 minutes à feu vif.
3. Ajouter les haricots rouges et poursuivre la cuisson 5 minutes.
4. Garnir chaque portion avec du basilic frais, du parmesan et du poivre. Accompagner de pain frais.

● **CONSEIL RAPIDO**

Je vous l'accorde, une soupe qui mijote longtemps, c'est tellement bon et réconfortant. Mais lorsque le stress est à son comble, cette soupe rapide réchauffera les cœurs et vous permettra de souffler un peu, comme si le temps s'arrêtait, l'espace d'un souper agréable. Utilisez les mélanges de légumes surgelés pour soupe minestrone ou sauce spaghetti. Ils contiennent généralement des oignons, des poivrons, des carottes et du céleri, déjà coupés en dés. C'est parfait pour cette recette. Pas de légumes à laver, parer et couper !

VALEUR NUTRITIVE
(par portion)
Énergie : **200 Cal**
Protéines : **11 g**
Matières grasses : **2 g**
Glucides : **36 g**
Fibres : **10,4 g**
Sodium : **621 mg**

● **VOUS AVEZ PLUS DE TEMPS ?**

À l'étape 2, faites mijoter votre soupe plus longtemps, à feu doux. Elle ne sera que meilleure. Ajoutez les haricots rouges au dernier moment, pour éviter qu'ils n'éclatent. En saison, remplacez les légumes surgelés par des légumes frais.

CRUMBLE AU POULET

Ingrédients vedettes

- 5 ml (1 c. à thé) d'**huile**
- 1 **oignon jaune** haché
- 2 branches de **céleri** hachées
- 2 **carottes** en dés
- 450 g (1 lb) de **hauts de cuisse de poulet** désossés sans la peau, en petits cubes
- 125 ml (1/2 tasse) de **petits pois** surgelés
- 500 ml (2 tasses) de **bouillon de poulet** maison ou du commerce, réduit en sodium
- 125 ml (1/2 tasse) de **lait**
- 20 ml (4 c. à thé) de **farine** tout usage
- **Poivre** concassé
- 100 g (3,5 oz) de **cheddar extra fort**, râpé (environ 250 ml / 1 tasse)
- 125 ml (1/2 tasse) de **chapelure** de blé entier à l'italienne
- 125 ml (1/2 tasse) de **farine** de blé entier
- 15 ml (1 c. à soupe) d'**huile**
- 1 **œuf** battu

1. Dans une grande casserole, faire revenir l'oignon dans l'huile 2 minutes à feu moyen-vif. Ajouter le céleri et les carottes, et poursuivre la cuisson 3 minutes.
2. Ajouter le poulet et poursuivre la cuisson 5 minutes en remuant de temps en temps.
3. Ajouter les pois et le bouillon et porter à ébullition.
4. Pendant ce temps, dans un bol, incorporer en pluie fine la farine au lait et fouetter pour obtenir une préparation lisse et sans grumeaux.
5. Réduire à feu moyen, verser le lait dans la casserole et remuer jusqu'à épaississement. Poivrer généreusement.
6. Ajouter la moitié du fromage râpé et remuer pour faire fondre. Cuire 5 minutes à feu doux.
7. Pendant ce temps, dans un bol moyen, mélanger la chapelure et la farine. Verser l'huile en 3 étapes en remuant bien à la fourchette pour la répartir dans le mélange. Incorporer le reste du fromage et mélanger. Ajouter l'œuf battu et mélanger de nouveau. La préparation formera de petits grumeaux.
8. Préchauffer le gril du four (à *broil*). Placer la grille à la position du centre.
9. Répartir la préparation de poulet dans 4 plats allant au four. Ajouter la garniture et cuire sous le gril du four environ 5 minutes ou jusqu'à ce que le crumble soit doré.

● **CONSEIL RAPIDO**

Cette recette plaira aux amateurs de pâté au poulet. En remplaçant la pâte à tarte par ce crumble de blé entier, on coupe de moitié sa teneur en gras. Ça vaut le coup d'essayer ! Ajoutez aussi cette garniture sur un pâté au saumon, à la viande ou encore sur des pommes de terre en escalope. Croustillant et différent !

VALEUR NUTRITIVE
(par portion)
Énergie : **453 Cal**
Protéines : **38 g**
Matières grasses : **18 g**
Glucides : **34 g**
Fibres : **4,9 g**
Sodium : **436 mg**

● **VOUS AVEZ PLUS DE TEMPS ?**

Profitez-en pour faire votre bouillon de poulet maison et intégrez le poulet cuit à cette recette. Vous pouvez cuire la carcasse la veille, laisser reposer le bouillon filtré une nuit au frigo, retirer la couche de gras et ensuite préparer cette recette le lendemain. Idéal pour les journées de congé ou les week-ends pluvieux.

Ingrédients vedettes

LASAGNE RAPIDE AU VEAU ET À LA RICOTTA

- 450 g (1 lb) de **veau** haché
- 15 ml (1 c. à soupe) de **fines herbes** séchées à l'italienne
- 2 boîtes de 400 ml (14 oz) de **sauce tomate** nature
- 3 grandes feuilles de **lasagnes** fraîches (1/2 paquet de 375 g)
- 475 g (16 oz) de **fromage ricotta** léger
- 400 g (14 oz) de **fromage** déjà râpé (mélange à l'italienne ou 3 fromages)

1. Préchauffer le four à 230 °C (450 °F).
2. Dans une poêle antiadhésive à feu vif, cuire le veau en remuant avec une spatule de bois pour égrainer la viande. Égoutter le gras. Ajouter les herbes et mélanger.
3. Dans un plat rectangulaire allant au four, verser la moitié d'une boîte de sauce tomate (environ 200 ml). Verser le reste de la boîte de sauce sur le veau et mélanger.
4. Placer 1 feuille de lasagne au fond du plat de cuisson. Ajouter le tiers de la viande cuite et la moitié de la ricotta.
5. Placer 1 autre feuille de lasagne dans le plat de cuisson. Ajouter la moitié du fromage râpé, un autre tiers de la viande, le reste de la ricotta et la moitié d'une boîte de sauce tomate (environ 200 ml).
6. Placer 1 autre feuille de lasagne. Ajouter le reste de la viande, le reste de la sauce et le reste du fromage.
7. Cuire au four 18 minutes et terminer la cuisson sous le gril (à *broil*) pendant 2 minutes.
8. Laisser reposer 5 minutes et servir accompagné d'une salade verte.

● **CONSEIL RAPIDO**

Une lasagne maison prête en 30 minutes, c'est tout un exploit ! On y arrive en utilisant du fromage déjà râpé et en ne mesurant pas les ingrédients. Utilisez des lasagnes fraîches en feuilles rectangulaires. Pas de cuisson et peu de manipulation. Vous pouvez aussi prendre les pâtes à lasagne à cuisson rapide (sans précuisson), mais ajoutez 60 ml (1/4 tasse) d'eau dans votre sauce tomate.

VALEUR NUTRITIVE
(par portion)
Énergie : **639 Cal**
Protéines : **42 g**
Matières grasses : **22 g**
Glucides : **63 g**
Fibres : **4,1 g**
Sodium : **386 mg**

● **VOUS AVEZ PLUS DE TEMPS ?**

Ajoutez des épinards frais à l'étape 5 et prolongez de 15 minutes la cuisson de la lasagne. Vous pouvez aussi râper vous-même le fromage, ce sera plus économique.

« J'aime réinventer le classique viande-patate-légume et intégrer les accompagnements à même le repas. On troque l'assiette pour le bol. C'est simple, et ça fait changement ! »

SALADE DE PENNES AU THON

Ingrédients vedettes

- 250 g (8 oz) de **pennes** ou autres pâtes courtes
- 2 boîtes de 170 g (6 oz) de **thon** pâle en morceaux, égoutté
- 2 **tomates** bien mûres en gros dés ou 250 ml (1 tasse) de tomates cerises coupées en 2
- 80 ml (1/3 tasse) d'**olives Kalamata**
- 80 ml (1/3 tasse) de **caprons** (grosses câpres)
- 80 ml (1/3 tasse) de **poivrons marinés**, hachés
- 15 ml (1 c. à soupe) d'**huile des poivrons marinés**
- Jus de 1/2 **citron**
- 1 pincée de **flocons de piment fort**
- **Sel** et **Poivre** concassé

1. Cuire les pâtes dans l'eau bouillante salée de 10 à 12 minutes ou jusqu'à ce qu'elles soient *al dente*. Égoutter et réserver.
2. Pendant ce temps, dans un grand bol, mélanger le reste des ingrédients.
3. Ajouter les pâtes, mélanger et ajuster les assaisonnements au goût. Servir.

● CONSEIL RAPIDO

J'ai toujours des conserves de thon dans mon garde-manger. C'est tellement pratique ! Le thon émietté convient bien aux sandwichs et aux sauces pour pâtes, et j'utilise le thon en morceaux dans les salades, sur la pizza ou dans les gratins. Si vous ne consommez du thon qu'occasion-nellement, choisissez le thon blanc, plus riche en oméga-3 que le thon pâle. Si vous en mangez plusieurs fois par semaine, optez plutôt pour le thon pâle, qui contiendrait moins de mercure que le thon blanc.

VALEUR NUTRITIVE
(par portion)
Énergie : **392 Cal**
Protéines : **31 g**
Matières grasses : **7 g**
Glucides : **52 g**
Fibres : **384 g**
Sodium : **684 mg**

● VOUS AVEZ PLUS DE TEMPS ?

Faites cuire à la vapeur des tiges de rapini et ajoutez-les à cette salade. À l'aide d'un couteau économe (éplucheur à légumes), faites des copeaux de parmesan et déposez-les sur chaque portion de salade.

TAGLIATELLES AU POULET ET AUX TOMATES SÉCHÉES

Ingrédients vedettes

- 250 g (8 oz) de **tagliatelles** ou autres nouilles aux œufs
- 600 g (1 1/3 lb) de **poitrines de poulet** désossées, sans la peau (environ 3 demi-poitrines)
- 5 ml (1 c. à thé) d'**huile**
- 1 **oignon jaune** haché
- 5 ml (1 c. à thé) d'**ail** haché
- 1 grosse **courgette verte** (zucchini) en petits dés (environ 250 g / 8 oz)
- 80 ml (1/3 tasse) de **tomates séchées** hachées finement (environ 8 morceaux, non conservés dans l'huile)
- 250 ml (1 tasse) de **bouillon de poulet** maison ou du commerce, réduit en sodium
- 15 ml (1 c. à soupe) de **fécule de maïs** diluée dans un peu d'eau
- 2,5 ml (1/2 c. à thé) de **flocons de piment fort**
- **Poivre** concassé
- 80 ml (1/3 tasse) de **basilic** frais, haché

1. Préchauffer le four à 180 °C (350 °F).
2. Cuire les tagliatelles dans l'eau bouillante salée environ 8 minutes ou jusqu'à ce qu'elles soient *al dente*. Égoutter et réserver.
3. Pendant ce temps, couper les demi-poitrines en deux sur le sens de la longueur. Dans une poêle antiadhésive, dorer les morceaux de poulet dans l'huile environ 4 minutes de chaque côté à feu vif.
4. Retirer les morceaux de poulet, les placer dans un plat et terminer la cuisson 8 à 10 minutes au four.
5. Pendant ce temps, dans la même poêle, ajouter l'oignon, réduire à feu moyen, et cuire 2 minutes.
6. Ajouter l'ail, la courgette et les tomates séchées, et poursuivre la cuisson 5 minutes.
7. À la sortie du four, remettre le poulet dans la poêle avec le jus de cuisson. Verser le bouillon de poulet et chauffer deux minutes avant d'ajouter la fécule de maïs, le piment et le poivre. Remuer jusqu'à épaississement.
8. Ajouter le basilic. Trancher le poulet, si désiré. Servir sur les tagliatelles.

● CONSEIL RAPIDO

On trouve deux types de tomates séchées : celles sans huile et celles dans l'huile. J'aime bien utiliser les tomates dans l'huile, car j'en profite pour ajouter cette huile parfumée à la recette. Essayez ceci : des pâtes fraîches, quelques tomates cerises coupées en deux, de fines juliennes de tomates séchées et un peu d'huile des tomates, le tout garni de feuilles de basilic et de copeaux de parmesan... *Delizioso* !

VALEUR NUTRITIVE
(par portion)
Énergie : **470 Cal**
Protéines : **47 g**
Matières grasses : **7 g**
Glucides : **55 g**
Fibres : **4,2 g**
Sodium : **229 mg**

● VOUS AVEZ PLUS DE TEMPS ?

À l'étape 3, faites cuire le poulet à feu moyen-doux et comptez 5 minutes par côté. Ceci vous évitera l'utilisation du four. Ce sera un peu plus long, mais moins énergivore !

Ingrédients vedettes

PORC AU PESTO ET AUX TOMATES SÉCHÉES

- 600 g (1 1/3 lb) de **filet de porc** en gros cubes (1 gros filet)
- 5 ml (1 c. à thé) d'**huile**
- 1 **oignon rouge** coupé en 8
- 5 ml (1 c. à thé) d'**ail** haché
- 1 **poivron rouge** en gros cubes
- 8 à 10 morceaux de **tomates séchées** (non conservées dans l'huile), coupées en 2
- 60 ml (1/4 tasse) de **pesto de basilic**
- **Poivre** concassé
- 250 ml (1 tasse) de jeunes pousses d'**épinard**

1. Dans une poêle antiadhésive à hauts rebords, chauffer l'huile et griller les cubes de porc environ 2 minutes de chaque côté, à feu vif. Les cubes seront grillés à l'extérieur, mais encore crus à l'intérieur. Transvider dans un bol doublé de papier essuie-tout. Réserver.
2. Dans la même poêle, cuire l'oignon 2 minutes à feu moyen.
3. Ajouter l'ail, le poivron et les tomates séchées, et poursuivre la cuisson 5 minutes en remuant régulièrement.
4. Remettre les cubes de porc, ajouter le pesto et poivrer. Remuer et cuire environ 5 minutes.
5. Retirer du feu, ajouter les jeunes pousses d'épinard, mélanger et servir. Accompagner de pain frais.

● **CONSEIL RAPIDO**

J'utilise très peu d'ingrédients transformés comme les sauces, vinaigrettes et marinades du commerce. Ces produits sont souvent peu nutritifs, bourrés d'additifs et de sel. Je préfère m'en passer et utiliser des ingrédients de base. Il y a quand même quelques exceptions. Le pesto en est une. Un bon pesto du commerce ne contenant que du basilic, de l'huile, de l'ail, du parmesan et des noix de pin, c'est drôlement pratique. Si vous ne l'utilisez pas rapidement, congelez-le. Il dégèlera en quelques secondes au four à micro-ondes.

VALEUR NUTRITIVE *(par portion)*
Énergie : **225 Cal**
Protéines : **30 g**
Matières grasses : **8 g**
Glucides : **8 g**
Fibres : **2,1 g**
Sodium : **166 mg**

● **VOUS AVEZ PLUS DE TEMPS ?**

Dénoyautez 125 ml (1/2 tasse) d'olives Kalamata (voir méthode, page 50) et ajoutez-les à la recette en même temps que le pesto. Au moment de servir, émiettez environ 60 g (2 oz) de fromage de chèvre en guise de garniture.

Ingrédients vedettes

LINGUINES AUX MOULES ET À L'ESTRAGON

- 200 g (6,5 oz) de **linguines** (ou autres pâtes longues)
- 900 g (2 lb) de **moules fraîches** (1 sac)
- 5 ml (1 c. à thé) d'**huile d'olive**
- 10 ml (2 c. à thé) d'**ail** haché
- 375 ml (1 1/2 tasse) de **vin blanc** de table
- 2 **oignons verts** hachés
- 1 **tomate** en dés
- 80 ml (1/3 tasse) d'**estragon** frais haché
- **Poivre** concassé

1. Cuire les pâtes dans l'eau bouillante salée de 10 à 12 minutes ou jusqu'à ce qu'elles soient *al dente*. Égoutter et réserver.
2. Pendant ce temps, laver les moules à l'eau fraîche. Retirer les algues et jeter les moules brisées ou celles qui demeurent ouvertes malgré une pression pour les refermer.
3. Dans une grande marmite, ajouter l'huile, l'ail, les moules et le vin blanc. Couvrir, porter à ébullition et laisser mijoter 8 à 10 minutes ou jusqu'à ce que toutes les moules soient ouvertes. Remuer à la mi-cuisson. Jeter les moules qui demeurent fermées après la cuisson.
4. Dans la marmite ayant servi à la cuisson des pâtes, mélanger les pâtes égouttées, les moules, un peu de jus de cuisson des moules et le reste des ingrédients. Ajuster les assaisonnements au goût. Servir.

● **CONSEIL RAPIDO**

Pour raffiner cette recette, ajoutez quelques brins de safran dans le bouillon. Remplacez alors l'estragon par une herbe moins goûteuse, comme le persil plat. Un conseil : exigez le VRAI safran. Saviez-vous qu'on doit cueillir à la main les stigmates de 150 fleurs de type *crocus sativus* pour produire 1 g de safran ? Méfiez-vous donc des bas prix et prévoyez 5 $ ou 6 $ pour 1 g de safran. Les imitations, comme les safrans dits « américains » et « mexicains », n'ont en commun avec le vrai safran que la couleur.

VALEUR NUTRITIVE
(par portion)
Énergie : **379 Cal**
Protéines : **21 g**
Matières grasses : **5 g**
Glucides : **46 g**
Fibres : **2,3 g**
Sodium : **371 mg**

● **VOUS AVEZ PLUS DE TEMPS ?**

Préparez une entrée de gaspacho et une mousse aux fraises pour dessert. Pour les méthodes, consultez idées en 5 minutes aux pages 35 et 43. Vous aurez alors un repas 3 services préparé dans la simplicité !

Ingrédients vedettes

JAMBALAYA

- 180 ml (3/4 tasse) de **riz** étuvé à grains entiers (à cuisson rapide)
- 375 ml (1 1/2 tasse) de **bouillon de poulet** maison ou du commerce, réduit en sodium
- 1 pincée de **flocons de piment fort**
- 200 g (1/2 lb) de **hauts de cuisses de poulet** désossés, sans la peau, coupés en dés
- 125 ml (1/2 tasse) de **chorizo** (saucisson sec) tranché
- 1 **oignon jaune** haché
- 2 branches de **céleri** hachées
- 1 **poivron vert** haché
- 5 ml (1 c. à thé) d'**ail** haché
- 375 ml (1 1/2 tasse) de **crevettes** cuites surgelées et décortiquées
- 5 ml (1 c. à thé) de **cumin** moulu
- **Poivre** concassé
- 2 **oignons verts** hachés

1. Dans une casserole, mélanger le riz, le bouillon et le piment. Porter à ébullition, réduire à feu moyen, couvrir et cuire 10 minutes ou jusqu'à ce que l'eau soit absorbée. Réserver. Laisser le couvercle.
2. Pendant ce temps, dans une poêle antiadhésive à hauts rebords, cuire le poulet et le chorizo 5 minutes à feu vif, sans ajouter de matière grasse. Transvider dans un bol doublé de papier essuie-tout pour absorber le gras. Ne pas nettoyer la poêle, la fine couche de gras de cuisson rehaussera le goût des légumes.
3. Mettre l'oignon, le céleri et le poivron à la poêle. Sauter 5 minutes à feu moyen-vif. Ajouter l'ail, les crevettes, le poulet, le chorizo, le cumin et le poivre, et poursuivre la cuisson 5 minutes ou jusqu'à ce que les crevettes soient chaudes.
4. Ajouter le riz et les oignons verts, mélanger et servir.

● **CONSEIL RAPIDO**

Une vraie jambalaya nécessite environ 60 à 90 minutes de cuisson. Ma version, à défaut d'être authentique, est beaucoup plus rapide à préparer. Et au retour d'une grosse journée de travail, c'est souvent tout ce qui compte ! La jambalaya typique est une inspiration louisianaise de la paella espagnole et est préparée dans les bayous de la Nouvelle-Orléans à partir de poulet et de saucisson, bien sûr, mais aussi à base de sanglier, de tortue et d'alligator ! C'est l'avantage d'habiter près d'un marais...

VALEUR NUTRITIVE
(par portion)
Énergie : **405 Cal**
Protéines : **46 g**
Matières grasses : **9 g**
Glucides : **34 g**
Fibres : **2,9 g**
Sodium : **520 mg**

● **VOUS AVEZ PLUS DE TEMPS ?**

Doublez votre recette. La coupe des légumes sera un peu plus longue, mais la cuisson sera sensiblement la même. La jambalaya se congèle très bien en portions individuelles pour les lunchs ou en portion familiale, pour un congé de repas un autre soir ! Se conserve 1 mois au congélateur.

Ingrédients vedettes

SALADE DE FUSILLIS AUX CREVETTES

- 200 g (6,5 oz) de **fusillis** ou autres pâtes courtes
- 300 g (3/4 lb) de **crevettes** cuites surgelées, décortiquées et décongelées
- 2 **concombres libanais** tranchés finement (au couteau ou à la mandoline)
- 2 **oignons verts** hachés (parties blanches et vertes)
- 1 branche de **céleri** hachée
- 125 ml (1/2 tasse) de **basilic** frais haché finement
- Le zeste et le jus de 1 **citron**
- 80 ml (1/3 tasse) de **tomates séchées** dans l'huile, hachées grossièrement
- 15 ml (1 c. à soupe) d'**huile des tomates** séchées
- **Sel** et **Poivre** concassé

1. Cuire les pâtes dans l'eau bouillante salée de 10 à 12 minutes ou jusqu'à ce qu'elles soient *al dente*. Égoutter et réserver.
2. Pendant ce temps, dans un grand bol, mélanger le reste des ingrédients.
3. Ajouter les pâtes, mélanger et ajuster les assaisonnements au goût. Servir.

● CONSEIL RAPIDO

J'adore les crevettes, mais vous ne me verrez jamais les décortiquer. Je perds patience ! À l'épicerie, je choisis à tout coup des crevettes décortiquées. Je les prends crues lorsque la recette nécessite un peu de cuisson et cuites pour les salades, la pizza ou les plats minute. Je déteste les crevettes trop cuites, elles deviennent fades et caoutchouteuses.

VALEUR NUTRITIVE
(par portion)
Énergie : **340 Cal**
Protéines : **26 g**
Matières grasses : **6 g**
Glucides : **44 g**
Fibres : **3,0 g**
Sodium : **276 mg**

● VOUS AVEZ PLUS DE TEMPS ?

Ajoutez encore plus de légumes à cette salade. Des poivrons en dés, des carottes râpées, de jeunes pousses d'épinard... Laissez aller votre créativité. Si vous préférez les pâtes en sauce crémeuse, ajoutez 125 ml (1/2 tasse) de crème sure allégée.

Ingrédients vedettes

SALADE DE QUINOA AUX POIS CHICHES ET AUX POMMES

- 250 ml (1 tasse) de grains de **quinoa**
- 250 ml (1 tasse) de **bouillon de poulet** maison ou du commerce, réduit en sodium
- 250 ml (1 tasse) de **jus de pomme**
- 1 boîte de 540 ml (19 oz) de **pois chiches**, rincés et égouttés
- 375 ml (1 1/2 tasse) de jeunes pousses d'**épinard**
- 2 **pommes rouges** hachées
- 1 branche de **céleri** hachée
- 1 **poivron rouge** haché
- 60 ml (1/4 tasse) d'**oignon rouge** haché
- Le jus de 1 **citron**
- **Poivre** concassé

1. Dans une casserole, mélanger le quinoa, le bouillon et le jus. Ajouter 250 ml (1 tasse) d'eau. Porter à ébullition, réduire à feu moyen, couvrir et cuire 15 minutes ou jusqu'à ce que les grains de quinoa soient tendres. Laisser reposer 5 minutes à découvert.
2. Pendant ce temps, mélanger le reste des ingrédients dans un grand bol.
3. Ajouter le quinoa encore chaud, mélanger et servir. Se mange chaud ou froid.

● **CONSEIL RAPIDO**

Quino-quoi ? Tous ceux à qui j'ai fait découvrir le quinoa sont tombés sous le charme. C'est un petit grain rond qui devient très tendre à la cuisson. Utilisez-le en remplacement du riz ou du couscous dans vos recettes. Il a l'avantage de contenir plus de protéines et de fibres que les autres grains. En plus, le quinoa cuit assez rapidement, ce qui vous donne juste le temps de préparer le reste des ingrédients de votre recette !

VALEUR NUTRITIVE
(par portion)
Énergie : **419 Cal**
Protéines : **15 g**
Matières grasses : **5 g**
Glucides : **82 g**
Fibres : **12,6 g**
Sodium : **435 mg**

● **VOUS AVEZ PLUS DE TEMPS ?**

Ajoutez du fromage feta émietté dans la salade et accompagnez le tout de pointes de pain pita badigeonnées d'huile d'olive et grillées au four 5 à 7 minutes à 200 °C (400 °F).

Ingrédients vedettes

QUINOA AU BOEUF GRILLÉ

- 250 ml (1 tasse) de grains de **quinoa**
- 500 ml (2 tasses) de **bouillon de bœuf** réduit en sodium
- 15 ml (1 c. à soupe) de **sirop d'érable**
- 15 ml (1 c. à soupe) de **moutarde de Dijon**
- 5 ml (1 c. à thé) d'**huile**
- 5 ml (1 c. à thé) d'**ail** haché
- 5 ml (1 c. à thé) d'**herbes de Provence**
- **Poivre** concassé
- 225 g (1/2 lb) de **bifteck à sandwich** (minces tranches de bœuf cru)
- 1 **oignon jaune** coupé en 8
- 1 **poivron orange** en lanières
- 250 ml (1 tasse) de **tomates cerises**

1. Préchauffer le gril du four (à *broil*). Placer la grille à la position du haut.
2. Dans une casserole, mélanger le quinoa et le bouillon. Ajouter 250 ml (1 tasse) d'eau. Porter à ébullition, réduire à feu moyen, couvrir et cuire 15 minutes ou jusqu'à ce que les grains de quinoa soient tendres. Laisser reposer 5 minutes.
3. Pendant ce temps, dans un grand bol, mélanger le sirop d'érable, la moutarde, l'huile, l'ail et les herbes, et poivrer généreusement.
4. Ajouter le bifteck, l'oignon, le poivron et les tomates, et mélanger pour enrober.
5. Répartir sur une plaque de cuisson doublée de papier parchemin et cuire sous le gril 8 à 10 minutes, ou jusqu'à ce que la viande soit grillée.
6. Transvider le quinoa dans un bol de service, ajouter la viande et les légumes grillés, et mélanger délicatement. Servir.

● CONSEIL RAPIDO

Le quinoa est surprenant. C'est un grain millénaire et, pourtant, les Québécois commencent à peine à l'apprivoiser. Cuisinez-le avec du jus de fruits, de légumes ou du bouillon. Servez-le en salade ou en accompagnement. L'important est d'oser l'apprêter. Je suis certaine que vous aimerez son léger goût de noisette. De plus, ce grain est riche en fer et en plusieurs autres vitamines et minéraux. Vous pouvez aussi essayer les flocons de quinoa au petit déjeuner ou dans vos recettes de muffins.

VALEUR NUTRITIVE
(par portion)

Énergie : **305 Cal**
Protéines : **22 g**
Matières grasses : **7 g**
Glucides : **40 g**
Fibres : **4,6 g**
Sodium : **117 mg**

● VOUS AVEZ PLUS DE TEMPS ?

Doublez la portion de marinade, de viande et de légumes (sauf les tomates), et une fois cuits, utilisez-les comme garniture à sandwich. Ce sera délicieux dans un pain baguette encore chaud. Ajoutez du fromage et des tranches de tomates fraîches, et dégustez.

PAPILLOTE D'AIGLEFIN

Ingrédients vedettes

- 4 filets de 150 g (5 oz) d'**aiglefin** (ou autre poisson blanc)
- 1/2 **oignon jaune** émincé
- 1/2 **courgette verte** (zucchini) en julienne
- 1 **carotte** coupée en julienne ou en rubans
- 8 **champignons blancs** tranchés
- 125 ml (1/2 tasse) de **fenouil** émincé (partie blanche seulement)
- 60 ml (1/4 tasse) de **feuillage de fenouil** haché
- 60 ml (1/4 tasse) de **ciboulette** hachée
- 20 ml (4 c. à thé) d'**huile d'olive**
- Le jus de 1 **citron**
- **Poivre** concassé
- **Fleur de sel**

1. Préchauffer le four à 230 °C (450 °F).
2. Couper 4 morceaux de papier parchemin d'environ 40 cm (16 po) de largeur. Placer sur une surface de travail. Étendre un filet de poisson au centre de chaque feuille.
3. Répartir les légumes sur le poisson. Garnir de feuilles de fenouil et de ciboulette.
4. Verser 5 ml (1 c. à thé) d'huile sur chaque portion. Arroser de jus de citron et poivrer généreusement.
5. Pour refermer les papillotes, rejoindre deux côtés opposés du papier au milieu, faire un pli et attacher les deux autres extrémités avec de la ficelle ou replier sous la papillote. Placer les papillotes sur une plaque de cuisson et cuire au four 15 à 20 minutes, selon l'épaisseur du poisson.
6. Pour servir, ouvrir la papillote, garnir d'une pincée de fleur de sel et accompagner de pain frais.

● CONSEIL RAPIDO

J'aime les papillotes. C'est toujours une surprise pour ceux avec qui je partage le repas que de découvrir ce qu'il y a dans la petite pochette. Et de mon côté, il y a moins de vaisselle à laver ! La papillote concentre les saveurs des aliments et ne nécessite que très peu ou pas de gras pour la cuisson. Essayez les papillotes de légumes et, pour un dessert rapide, préparez une papillote de petits fruits (voir les idées en 5 minutes, à la page 45).

VALEUR NUTRITIVE
(par portion)
Énergie : **202 Cal**
Protéines : **30 g**
Matières grasses : **6 g**
Glucides : **7 g**
Fibres : **1,7 g**
Sodium : **162 mg**

● VOUS AVEZ PLUS DE TEMPS ?

Accompagnez la papillote d'**orge pilaf**. Chauffez 15 ml (1 c. à soupe) d'huile dans une casserole à feu moyen. Ajoutez 250 ml (1 tasse) d'orge perlé et remuez pour bien enrober tous les grains de gras. Ajoutez 500 ml (2 tasses) de bouillon de poulet. Réduisez à feu moyen-doux, couvrez et laissez cuire 30 minutes.

SALADE DE GRELOTS AUX FRUITS DE MER

Ingrédients vedettes

- 750 ml (3 tasses) de **pommes de terre** grelots coupées en 2
- 450 g (1 lb) de **fruits de mer** surgelés (mélange de crevettes, pétoncles, calmars, moules, poulpes)
- 1 **échalote française** émincée
- 2,5 ml (1/2 c. à thé) d'**ail** haché
- 10 ml (2 c. à thé) d'**huile d'olive**
- Le jus de 1 **citron**
- 45 ml (3 c. à soupe) de **ciboulette** hachée
- 45 ml (3 c. à soupe) de **basilic** frais haché
- **Poivre** concassé

1. Cuire les grelots dans l'eau bouillante. Après 15 minutes, ajouter les fruits de mer surgelés. Poursuivre la cuisson jusqu'à ce que la pointe d'un couteau s'insère facilement dans un grelot. Retirer du feu, rincer à l'eau froide, égoutter et transvider dans un bol.
2. Ajouter le reste des ingrédients. Ajuster les assaisonnements au goût. Servir.

● **CONSEIL RAPIDO**

Cette recette se réalise en quelques minutes grâce au mélange de fruits de mer surgelés vendu dans les poissonneries et plusieurs épiceries. Ce mélange contient des crevettes, des pétoncles, du calmar, des moules et du poulpe. C'est génial, vous n'avez qu'à les ajouter à votre recette sans aucune manipulation. Dans une soupe asiatique, des pâtes minute ou une paella improvisée, vous verrez que c'est pratique !

VALEUR NUTRITIVE *(par portion)*
Énergie : **223 Cal**
Protéines : **25 g**
Matières grasses : **4 g**
Glucides : **20 g**
Fibres : **2,9 g**
Sodium : **174 mg**

● **VOUS AVEZ PLUS DE TEMPS ?**

À l'aide d'une mandoline ou d'un couteau bien aiguisé, tranchez finement un bulbe de fenouil (partie blanche seulement). Ajoutez-en la moitié à cette salade de grelots. Conservez le reste, vous pourrez l'intégrer à une soupe ou à un sauté de légumes.

Ingrédients vedettes

GNOCCHIS SAUTÉS AUX TOMATES CERISES ET BROCOLI

- 800 g (26 oz) de **gnocchis** (petites pâtes à la pomme de terre)
- 10 ml (2 c. à thé) d'**huile d'olive**
- 4 gousses d'**ail** coupées en deux
- 80 ml (1/3 tasse) de **bouillon de poulet** maison ou du commerce, réduit en sodium
- 500 ml (2 tasses) de petits fleurons de **brocoli** (soit 1 tête de brocoli)
- 15 ml (1 c. à soupe) de **câpres**
- 300 g (10 oz) de **tomates cerises**
- **Poivre** concassé
- **Fleur de sel**

1. Cuire les gnocchis dans l'eau bouillante salée environ 5 minutes ou jusqu'à ce qu'ils remontent à la surface. Égoutter et réserver.
2. Dans une grande poêle, chauffer l'huile à feu doux et y infuser les gousses d'ail 5 minutes. Réduire le feu si nécessaire afin de ne pas dorer l'ail.
3. Ajouter le bouillon et les fleurons de brocoli, et cuire 5 minutes à feu moyen.
4. Ajouter les câpres et les tomates, et poursuivre la cuisson 5 minutes.
5. Incorporer les gnocchis, poivrer généreusement et bien mélanger. Servir en garnissant chaque portion d'une pincée de fleur de sel.

● **CONSEIL RAPIDO**

Le brocoli est sans doute le légume le plus boudé des enfants ! Mais est-ce le légume lui-même le problème ou la méthode de cuisson qui est inappropriée ? Essayez de le cuire le moins possible. Ça pourrait aider ! Coupez-le en petits bouquets et faites-le cuire juste assez pour l'attendrir. Petit conseil : ne jetez surtout pas le pied ! Pelez-le à l'aide d'un couteau et coupez-le en biseau. Intégrez-le à un sauté asiatique ou dans un potage. Pas de gaspillage !

● **VOUS AVEZ PLUS DE TEMPS ?**

Vous pouvez ajouter des crevettes et plus de légumes (poivron, céleri, carottes) à l'étape 3. Pour une touche d'élégance supplémentaire, garnissez de copeaux de parmesan faits à l'aide du couteau économe (éplucheur à légumes).

préparation : **10 à 12 min**
cuisson : **15 à 17 min**
portions : **4**

POIVRONS FARCIS AU COUSCOUS

Ingrédients vedettes

- 375 ml (1 1/2 tasse) de **bouillon de poulet** maison ou du commerce, réduit en sodium
- 250 ml (1 tasse) de **couscous** de blé entier
- 5 ml (1 c. à thé) d'**huile d'olive**
- 1/2 **oignon rouge** haché
- 300 g (10 oz) de **tofu extra-ferme** égrainé
- 1/2 **courgette verte** (zucchini) en dés
- 1 **poivron rouge** haché
- 8 **champignons blancs** hachés
- 125 ml (1/2 tasse) de **basilic** frais haché
- 80 ml (1/3 tasse) de petites **olives noires** conservées dans l'huile
- 4 **poivrons** (rouge, orange ou jaune) coupés en deux et évidés

MÉLANGE D'ÉPICES
- 5 ml (1 c. à thé) chacun de **poivre noir**, de graines de **cumin** et de **paprika**
- 2,5 ml (1/2 c. à thé) chacun de graines de **coriandre**, de **cannelle** moulue et de **flocons de piment fort**

1. Chauffer le bouillon de poulet 5 minutes au four à micro-ondes ou jusqu'à ébullition.
2. Pendant ce temps, mélanger toutes les épices et piler à l'aide d'un mortier ou d'un moulin à café. Réserver.
3. Préchauffer le four à 230 °C (450 °F).
4. Mettre le couscous dans un bol, verser le bouillon et laisser reposer 5 minutes ou jusqu'à ce que le couscous soit tendre et gonflé.
5. Pendant ce temps, dans une poêle antiadhésive à feu moyen-vif, mettre l'huile, l'oignon, le tofu et le mélange d'épices et cuire 5 minutes en remuant.
6. Ajouter la courgette, le poivron rouge et les champignons, et cuire 5 minutes de plus. Ajouter le basilic, les olives et le couscous. Mélanger et retirer du feu.
7. Farcir les moitiés de poivrons de cette préparation. Placer sur une plaque de cuisson et cuire au four de 5 à 7 minutes. Servir aussitôt.

VALEUR NUTRITIVE
(par portion)
Énergie : **331 Cal**
Protéines : **18 g**
Matières grasses : **7 g**
Glucides : **51 g**
Fibres : **8,2 g**
Sodium : **160 mg**

● **VOUS AVEZ PLUS DE TEMPS ?**
Garnissez vos poivrons farcis de fromage de chèvre avant de les mettre au four. Poursuivez la cuisson tel que mentionnée à l'étape 7, mais ajoutez à la fin 3 minutes sous le gril du four (à *broil*).

● **CONSEIL RAPIDO**
En vrac, en pot ou en conserve, les olives rehausseront le goût de vos recettes. Amusez-vous à goûter aux différentes variétés. J'adore les petites olives noires séchées au soleil et conservées dans l'huile. Elles sont très concentrées en saveurs. Sinon, j'ai toujours des olives Kalamata dans le frigo. C'est un incontournable selon moi.

Ingrédients vedettes

SALADE PIQUANTE DE MACARONI AUX HARICOTS ROUGES

- 250 g (8 oz) de **macaroni** (ou autres pâtes courtes)
- 1 boîte de 540 ml (19 oz) de **haricots rouges**, rincés et égouttés
- 1/2 petit **oignon jaune** haché finement
- 1 branche de **céleri** hachée finement
- 1/2 **poivron rouge** haché finement
- 250 ml (1 tasse) de **basilic** frais haché finement
- 1 **piment fort** haché finement ou 2,5 ml (1/2 c. à thé) de flocons de piment fort séchés
- 30 ml (2 c. à soupe) d'**huile d'olive**
- 15 ml (1 c. à soupe) de **vinaigre de vin** blanc
- **Sel** et **poivre** concassé
- Copeaux de **parmesan** (facultatif)

1. Cuire les macaronis dans l'eau bouillante salée pendant 10 à 12 minutes ou jusqu'à ce qu'ils soient *al dente*. Égoutter et transvider dans un grand bol.
2. Ajouter tous les ingrédients sauf le parmesan. Ajuster l'assaisonnement au goût.
3. Servir tiède ou froid. Garnir chaque portion de copeaux de parmesan si désiré.

● **CONSEIL RAPIDO**

Cette recette est une bonne façon d'intégrer les légumineuses à votre menu. Si vous en êtes à vos premiers pas avec les haricots rouges, diminuez la quantité de moitié et complétez avec des crevettes cuites, du thon en conserve ou encore du poulet cuit en dés. Les haricots rouges s'intègrent bien aussi dans le chili mexicain et dans la soupe aux légumes. Vous verrez, l'expérience ne sera pas douloureuse!

VALEUR NUTRITIVE
(par portion)
Énergie : **429 Cal**
Protéines : **17 g**
Matières grasses : **9 g**
Glucides : **71 g**
Fibres : **10,4 g**
Sodium : **435 mg**

● **VOUS AVEZ PLUS DE TEMPS ?**

Ajoutez des tiges de rapini ou des fleurons de brocoli dans l'eau de cuisson des pâtes à l'étape 1 environ 2 minutes avant la fin et prolongez la cuisson des pâtes de 2 minutes. Égouttez et poursuivez la recette telle quelle.

préparation : **10 min**
cuisson : **15 min**
portions : **4**

Ingrédients vedettes

POÊLÉE DE POULET AUX TOMATES

- 5 ml (1 c. à thé) d'**huile**
- 450 g (1 lb) de **poitrines de poulet** coupées en gros morceaux (environ 3 demi-poitrines coupées en 4)
- 1 **courgette verte** (zucchini)
- 1 **oignon jaune** émincé
- 2 gousses d'**ail** coupées en 2
- 1 boîte de 540 ml (19 oz) de **tomates étuvées** (entières ou tranchées), égouttées
- 60 ml (1/4 tasse) de **pesto de basilic**
- **Poivre** concassé

1. Dans une grande poêle, griller les morceaux de poulet dans l'huile à feu moyen-vif jusqu'à ce que le poulet soit doré sur tous les côtés.
2. Pendant ce temps, couper la courgette en deux sur la longueur, puis en tranches épaisses.
3. Ajouter l'oignon, l'ail et les courgettes à la poêle, et poursuivre la cuisson 3 minutes.
4. Réduire à feu doux. Ajouter les tomates et le pesto, poivrer généreusement et mélanger. Poursuivre la cuisson 5 à 7 minutes, pour que les morceaux de poulet soient cuits jusqu'au centre.
5. Servir avec du pain frais.

● **CONSEIL RAPIDO**

Avez-vous un « fermier de famille » ? Depuis plusieurs années, l'organisme Équiterre forme des partenariats entre des fermes biologiques et des familles québécoises. En plus d'encourager les producteurs d'ici, ce programme permet d'offrir à la population des aliments de qualité, à prix très compétitif. Les familles participantes reçoivent, chaque semaine de l'été, et parfois toute l'année, un panier-surprise comprenant légumes, fruits et fines herbes biologiques.

VALEUR NUTRITIVE
(par portion)
Énergie : **207 Cal**
Protéines : **28 g**
Matières grasses : **6 g**
Glucides : **10 g**
Fibres : **2,4 g**
Sodium : **92 mg**

● **VOUS AVEZ PLUS DE TEMPS ?**
Faites cuire des pâtes longues comme des tagliatelles ou des fettuccinis, et servez la poêlée de poulet sur un nid de pâtes.

« J'adore recevoir des amis, mais je ne veux pas être monopolisée par la popote. Je veux être là avec eux pour profiter de ma soirée. On se régale, on rigole, on jase, on relaxe. Voilà ce qu'est pour moi une soirée réussie. »

soir de fête

Ingrédients vedettes

TARTARE DE BOEUF

- 600 g (1 1/3 lb) de **filet de bœuf** très frais
- 2 **échalotes françaises** hachées très finement
- 60 ml (1/4 tasse) de **persil plat** haché
- 30 ml (2 c. à soupe) de **câpres** hachées
- 30 ml (2 c. à soupe) de **moutarde de Dijon**
- 10 ml (2 c. à thé) de **sauce anglaise** (Worcestershire)
- 2 gousses d'**ail** hachées
- 2 traits de **sauce piquante** (de type Tabasco)
- **Sel** et **poivre** concassé
- 4 **jaunes d'œuf**

1. Hacher la viande en petits dés très fins à l'aide d'un couteau du chef bien aiguisé. Ne pas broyer la viande.
2. Dans un bol, mélanger les échalotes, le persil, les câpres, la moutarde, la sauce anglaise, l'ail, la sauce piquante, le sel et le poivre. Ajouter la viande et mélanger délicatement. Diviser en quatre portions en faisant un petit creux au centre.
3. Ajouter le jaune d'œuf au dernier moment et, si désiré, laisser chaque convive mélanger le jaune d'œuf à son tartare. Relever le tartare en ajoutant plus de moutarde de Dijon et de sauce piquante, si désiré.
4. Servir avec des croûtons de pain baguette (voir page 48 pour la méthode).

● **CONSEIL RAPIDO**

Le secret d'un tartare réussi, c'est la fraîcheur et la qualité de la pièce de viande. Offrez-vous le filet, une partie du bœuf très tendre, très prisée, mais plus coûteuse. Achetez votre viande chez un boucher de confiance et mentionnez-lui que c'est pour un tartare. Il vous proposera son morceau le plus frais. À la maison, réfrigérez votre viande sans tarder. Préparez la recette à la dernière minute et utilisez un couteau bien aiguisé.

VALEUR NUTRITIVE
(par portion)
Énergie : **260 Cal**
Protéines : **37 g**
Matières grasses : **10 g**
Glucides : **3 g**
Fibres : **0,6 g**
Sodium : **378 mg**

● **VOUS AVEZ PLUS DE TEMPS ?**
Accompagnez le tartare d'une salade de jeunes pousses de laitue (mesclun). Pour la vinaigrette, mélangez dans un bol 15 ml (1 c. à soupe) de moutarde de Dijon et 10 ml (2 c. à thé) de vinaigre balsamique. Ajoutez 60 ml (1/4 tasse) d'huile d'olive en un mince filet en fouettant pour créer une émulsion. Salez et poivrez.

**Ingrédients
vedettes**

CREVETTES FLAMBÉES AU BRANDY

- 5 ml (1 c. à thé) d'**huile**
- 1 **oignon jaune** émincé
- 1 bulbe de **fenouil** émincé (partie blanche seulement)
- 450 g (1 lb) de grosses **crevettes** crues, décortiquées
- 1 gousse d'**ail** hachée
- 80 ml (1/3 tasse) de **brandy**
- 45 ml (3 c. à soupe) de **ciboulette** hachée
- **Poivre** concassé
- **Fleur de sel**

1. Dans une grande poêle sans revêtement antiadhésif, faire sauter l'oignon et le fenouil dans l'huile 7 minutes à feu moyen-vif.
2. Ajouter les crevettes et l'ail, et poursuivre la cuisson 5 minutes en remuant régulièrement.
3. Verser le brandy, incliner la poêle et enflammer l'alcool à l'aide d'un briquet ou d'une allumette. Laisser flamber l'alcool environ 5 minutes, puis couvrir pour éteindre le feu. Surveiller la poêle en tout temps.
4. Garnir chaque portion de ciboulette, de poivre et d'une pincée de fleur de sel avant de servir.

● **CONSEIL RAPIDO**

Les boissons alcoolisées font bien plus que pimenter les soirées ! Elles permettent aussi de relever les saveurs d'un plat tout simple. Le brandy transformera ce sauté de crevettes en plat digne des grandes occasions. Les arômes seront multipliés, et le bonheur... assuré ! Vous pouvez remplacer le brandy par du cognac ou du bourbon. N'utilisez pas une poêle avec un revêtement antiadhésif pour les plats flambés.

VALEUR NUTRITIVE
(par portion)
Énergie : **203 Cal**
Protéines : **24 g**
Matières grasses : **3 g**
Glucides : **8 g**
Fibres : **2,4 g**
Sodium : **237 mg**

● **VOUS AVEZ PLUS DE TEMPS ?**

Crevettes et riz font évidemment bon ménage. Prenez le temps de préparer du riz à grains entiers, que vous ferez cuire 45 minutes dans 3 fois plus d'eau ou de bouillon. Pour un petit plus, ajoutez quelques abricots séchés en dés à la mi-cuisson du riz.

FILET MIGNON À LA MANGUE

Ingrédients vedettes

- 1 grosse **mangue** bien mûre ou 2 petites (environ 600 g / 20 oz)
- 4 tranches de **filet mignon** d'environ 100 g (3,5 oz) chacune
- 4 tranches fines de **prosciutto** coupées en deux sur la longueur
- 10 ml (2 c. à thé) de **vinaigre balsamique**
- 5 ml (1 c. à thé) d'**huile**
- **Poivre** concassé
- **Menthe fraîche** hachée (facultatif)

1. Peler la mangue, couper les « joues » situées de chaque côté du noyau, trancher la chair et réserver.
2. Enrouler le prosciutto autour des filets mignons. Calculer 2 demi-tranches par filet. Fixer avec de la corde de boucherie ou des cure-dents.
3. Dans un petit bol, mélanger le vinaigre et l'huile, et badigeonner les filets de cette préparation. Poivrer généreusement.
4. Dans une poêle striée, cuire les filets 4 minutes de chaque côté à feu moyen-vif pour une cuisson saignante. Ajouter 1 minute par côté à feu moyen pour une cuisson rosée et 2 minutes par côté pour des filets bien cuits.
5. Environ 2 minutes avant la fin de la cuisson du deuxième côté, ajouter les tranches de mangue à la poêle.
6. Servir les filets accompagnés de tranches de mangue. Garnir de menthe si désiré.

● **CONSEIL RAPIDO**

Le filet mignon est une pièce de viande des grandes occasions. Si vous voulez préparer cette recette un soir de semaine sans dépenser une petite fortune, remplacez-le par des tournedos de bœuf provenant de l'intérieur de ronde. À environ 2 $ la portion, c'est cinq fois moins cher que le filet mignon et quand même très bon !

VALEUR NUTRITIVE
(par portion)
Énergie : **330 Cal**
Protéines : **24 g**
Matières grasses : **22 g**
Glucides : **9 g**
Fibres : **0,9 g**
Sodium : **332 mg**

● **VOUS AVEZ PLUS DE TEMPS ?**

Pour obtenir un chutney de mangue, coupez le fruit en petits dés et poursuivez la cuisson quelques minutes pendant que les filets mignons reposent dans une assiette couverte de papier aluminium. Assaisonnez la mangue d'un peu de vinaigre de cidre, de cumin, de cannelle, de clou de girofle, de poivre et de flocons de piment fort, au goût.

préparation : **7 à 10 min**
cuisson : **20 min**
portions : **4**

Ingrédients vedettes

POTAGE AU FENOUIL ET AUX ASPERGES ET PÉTONCLES GRILLÉS

- 5 ml (1 c. à thé) d'**huile d'olive**
- 1 bulbe de **fenouil** haché grossièrement (partie blanche seulement)
- 2 **pommes de terre** moyennes, pelées et coupées grossièrement
- 2 gousses d'**ail** entières
- 1 litre (4 tasses) de **bouillon de poulet** maison ou du commerce, réduit en sodium
- 300 g (10 oz) d'**asperges** surgelées (1 sac) ou une botte de pointes d'asperges fraîches
- 5 ml (1 c. à thé) d'**huile d'olive**
- 450 g (1 lb) de **pétoncles** frais ou surgelés, décongelés et épongés
- **Feuillage de fenouil** haché grossièrement

1. Dans une marmite, chauffer l'huile et ajouter le fenouil. Cuire 3 minutes à feu vif.
2. Ajouter les pommes de terre, l'ail et le bouillon de poulet. Porter à ébullition, réduire à feu moyen, couvrir et laisser mijoter 10 minutes.
3. Couper les asperges en tronçons d'environ 5 cm (2 po) et les ajouter dans la marmite. Poursuivre la cuisson 5 minutes.
4. Dans une poêle antiadhésive bien chaude, ajouter l'huile et cuire les pétoncles à l'unilatérale (d'un seul côté) 5 à 7 minutes à feu moyen ou jusqu'à ce que les pétoncles soient dorés. .
5. Au mélangeur électrique ou à l'aide d'un pied mélangeur, réduire le contenu de la marmite en purée. Transvider dans 4 bols de service.
6. Répartir les pétoncles sur les potages. Garnir de feuilles de fenouil et servir

● **CONSEIL RAPIDO**

J'aime la saveur anisée du fenouil, qui rappelle la réglisse noire. Enfant, je détestais cette saveur et maintenant je l'adore ! C'est signe que nos goûts évoluent. Alors donnez-vous la chance de goûter plus d'une fois un aliment que vous n'aimez pas de prime abord. Que ce soit un légume, un fruit de mer ou un fromage fort, on ne sait pas ce que l'avenir réserve à nos papilles !

VALEUR NUTRITIVE *(par portion)*
Énergie : **249 Cal**
Protéines : **27 g**
Matières grasses : **4 g**
Glucides : **30 g**
Fibres : **5,8 g**
Sodium : **276 mg**

● **VOUS AVEZ PLUS DE TEMPS ?**
Préparez des croûtons de pain baguette. Pour la méthode, consultez la page 48.

Ingrédients vedettes

MAHI-MAHI EN CROÛTE DE CUMIN ET D'ANIS

- 5 ml (1 c. à thé) de graines de **cumin**
- 5 ml (1 c. à thé) de graines d'**anis**
- 1 ml (1/4 c. à thé) de **poivre** en grains
- 1 pincée de gros **sel**
- 150 ml (2/3 tasse) de **croûtons** à salade
- 5 ml (1 c. à thé) d'**huile**
- 4 morceaux de 150 g (5 oz) de filet de **mahi-mahi**
- Le jus de 1 **citron**

1. Préchauffer le four à 230 °C (450 °F).
2. Au mortier, concasser le cumin, l'anis, le poivre et le sel.
3. Placer les croûtons dans un sac de plastique hermétique et concasser grossièrement à l'aide d'un rouleau à pâte ou d'une conserve. Transvider dans un bol, ajouter l'huile et les épices, et bien mélanger.
4. Placer les filets de mahi-mahi sur une plaque de cuisson doublée de papier parchemin. Tailler 4 incisions sur chaque filet. Asperger de jus de citron.
5. Répartir la garniture aux épices sur les filets de mahi-mahi. Cuire au four 15 minutes ou jusqu'à ce que le poisson soit cuit jusqu'au centre, mais que sa chair soit encore humide. Servir avec une salade de tomates cerises.

● CONSEIL RAPIDO

Mahi-mahi est le nom hawaïen donné à ce poisson des mers chaudes, aussi appelé *dolphinfish* en anglais. Sa chair, ferme et savoureuse, devient opaque et blanche à la cuisson. Elle se détache en flocons une fois cuite, mais elle a aussi tendance à s'assécher rapidement parce qu'elle contient très peu de gras. Il faut donc éviter de surcuire ce poisson délicat.

VALEUR NUTRITIVE
(par portion)
Énergie : **179 Cal**
Protéines : **31 g**
Matières grasses : **4 g**
Glucides : **5 g**
Fibres : **0,4 g**
Sodium : **149 mg**

● VOUS AVEZ PLUS DE TEMPS ?

Accompagnez votre poisson de riz sauvage. Sa cuisson est plus longue que celle du riz blanc, mais ses saveurs boisées valent l'attente ! Calculez 750 ml (3 tasses) d'eau pour 250 ml (1 tasse) de riz sauvage. Portez à ébullition, couvrez, réduisez à feu moyen-doux et laissez mijoter 45 minutes. Ajoutez une noix de beurre avant de servir.

Ingrédients vedettes

MOULES PIMENTÉES AU VIN BLANC

- 1,8 kg (4 lb) de **moules fraîches** (2 sacs de 900 g / 2 lb)
- 5 ml (1 c. à thé) d'**huile d'olive**
- 2,5 ml (1/2 c. à thé) de **flocons de piment fort**
- 1 **oignon jaune** émincé
- 10 ml (2 c. à thé) d'**ail** haché
- 500 ml (2 tasses) de **vin blanc** de table
- 250 ml (1 tasse) de **persil plat** haché grossièrement
- 1 **citron** coupé en quartiers

1. Laver les moules à l'eau fraîche. Retirer les algues et jeter les moules brisées ou celles qui demeurent ouvertes malgré une pression pour les refermer.
2. Dans une grande marmite, mettre l'huile, les piments et l'oignon, et cuire 2 minutes à feu vif.
3. Ajouter l'ail, les moules et le vin blanc, couvrir, porter à ébullition et laisser mijoter 8 à 10 minutes ou jusqu'à ce que toutes les moules soient ouvertes. Remuer à la mi-cuisson.
4. Jeter les moules qui demeurent fermées après la cuisson. Servir dans des bols, garnir de persil plat et de quartiers de citron. Accompagner de pain baguette.

● **CONSEIL RAPIDO**

Les moules, maintenant produites en aquaculture, peuvent être consommées toute l'année, pour le plus grand plaisir des amateurs. C'est un repas que j'adore préparer lorsque je reçois des amis. D'abord pour son air festif, ensuite pour sa simplicité et enfin parce que pour manger des moules, il faut prendre son temps. Il y a des repas comme ça qu'on ne peut pas manger à la course. Et c'est tant mieux, ça fait durer le plaisir !

VALEUR NUTRITIVE
(par portion)
Énergie : **327 Cal**
Protéines : **28 g**
Matières grasses : **6 g**
Glucides : **17 g**
Fibres : **1,2 g**
Sodium : **660 mg**

● **VOUS AVEZ PLUS DE TEMPS ?**

Les moules servies avec des frites, c'est un classique ! Préparez vos propres **frites au four**. Taillez 6 pommes de terre moyennes en petits bâtonnets et mélangez-les à 30 ml (2 c. à soupe) d'huile. Placez-les sur une plaque de cuisson doublée de papier parchemin, saupoudrez de sel et faites cuire 20 minutes à 200 oC (400 oF).

Ingrédients vedettes

PÂTES FRAÎCHES AU SAUMON FUMÉ

- 300 g (10 oz) de **pâtes fraîches** (fettuccini, linguini ou tagliatelle)
- 1 petit **oignon jaune** haché finement
- 30 ml (2 c. à soupe) d'**huile d'olive**
- 5 ml (1 c. à thé) d'**ail** haché
- 200 g (1/2 lb) de **saumon fumé** à l'ancienne en dés
- Le jus de 1 **citron**
- 45 ml (3 c. à soupe) de **ciboulette fraîche** hachée
- 5 ml (1 c. à thé) de **poivre rose** concassé
- 2,5 ml (1/2 c. à thé) de **piment d'Espelette** moulu ou autre piment fort, mais en mettre moins
- 50 à 75 g (2 à 2,5 oz) d'**œufs de saumon**

1. Cuire les pâtes dans l'eau bouillante 5 à 7 minutes ou jusqu'à ce qu'elles soient *al dente*. Égoutter et réserver.
2. Pendant ce temps, dans une poêle antiadhésive, cuire l'oignon 5 minutes à feu moyen-doux dans 5 ml (1 c. à thé) d'huile. Ajouter l'ail et cuire 2 minutes de plus.
3. Ajouter le saumon et cuire 2 minutes à feu moyen-doux.
4. Ajouter le reste de l'huile, le jus de citron, la ciboulette, le poivre et le piment, remuer et cuire 2 minutes. Retirer du feu.
5. Ajouter les pâtes et les œufs de saumon, et mélanger délicatement. Servir.

● **CONSEIL RAPIDO**

Personnellement, j'aime bien le saumon fumé à chaud, aussi nommé « à l'ancienne ». Sa chair se détache en flocons à la simple pression d'une fourchette et son goût fumé est plus intense. Quant au saumon fumé « à froid », il a un goût plus délicat et une texture plus moelleuse que le saumon fumé à l'ancienne. On le trouve souvent en fines tranches. Alors à chaud ou à froid : c'est une question de goût !

VALEUR NUTRITIVE *(par portion)*
Énergie : **375 Cal**
Protéines : **22 g**
Matières grasses : **12 g**
Glucides : **45 g**
Fibres : **5,1 g**
Sodium : **430 mg**

● **VOUS AVEZ PLUS DE TEMPS ?**

Préparez une salade de fenouil à l'orange en entrée. Pour la recette, consultez les idées en 5 minutes à la page 36.

Ingrédients vedettes

COQUILLES SAINT-JACQUES

- 5 ml (1 c. à thé) d'**huile**
- 1 petit **oignon** haché
- 227 g (1/2 lb) de **champignons blancs** tranchés (1 paquet)
- 250 g (8 oz) de **crevettes nordiques** ou autres crevettes décortiquées sans la queue
- 250 g (8 oz) de **flétan** ou autre **poisson blanc** en cubes
- 250 g (8 oz) de petits **pétoncles**
- 250 ml (1 tasse) de **vin blanc** de table
- 125 ml (1/2 tasse) de **lait**
- 30 ml (2 c. à soupe) de **farine** tout usage
- **Poivre** concassé
- 100 g (3,5 oz) de **fromage mozzarella** partiellement écrémé râpé (environ 250 ml / 1 tasse)
- 45 ml (3 c. à soupe) de **fromage parmesan** râpé

1. Dans une grande casserole, faire revenir l'oignon dans l'huile 2 minutes à feu moyen-vif. Ajouter les champignons et poursuivre la cuisson 5 minutes sans remuer.
2. Ajouter les crevettes, le poisson, les pétoncles et le vin, mélanger et porter à ébullition.
3. Pendant ce temps, dans un bol, incorporer en pluie fine la farine au lait et fouetter pour obtenir une préparation lisse et sans grumeaux.
4. Réduire à feu moyen, verser le lait dans la casserole et remuer jusqu'à épaississement. Poivrer généreusement. Ajouter le tiers du fromage râpé et remuer pour faire fondre.
5. Préchauffer le gril du four (à *broil*). Placer la grille à la position du haut.
6. Répartir la préparation dans 4 plats allant au four. Garnir du reste de fromage mozzarella et saupoudrer de fromage parmesan. Passer sous le gril du four environ 3 minutes ou jusqu'à ce que le fromage soit doré. Servir avec une salade.

● **CONSEIL RAPIDO**

Une vraie béchamel nécessite autant de beurre que de farine qu'on mélange ensemble et qu'on fait cuire avant d'y ajouter du lait. C'est très bon, mais plutôt gras. Pour créer une béchamel allégée et tout aussi crémeuse, intégrez la farine au lait en fouettant, versez le tout dans la casserole en remuant et portez à ébullition pour que la sauce épaississe. Cette façon de faire ne respecte pas les règles de l'art culinaire, mais le résultat est moins lourd et tout aussi savoureux, alors pourquoi pas ?

VALEUR NUTRITIVE
(par portion)
Énergie : **383 Cal**
Protéines : **48 g**
Matières grasses : **10 g**
Glucides : **12 g**
Fibres : **1,0 g**
Sodium : **484 mg**

● **VOUS AVEZ PLUS DE TEMPS ?**

Profitez-en pour préparer une purée de pommes de terre assez molle mais qui se tient. Dans une poche à pâtisserie munie d'une douille cannelée ou simplement dans un sac de plastique dont vous couperez une extrémité, faites une couronne de purée autour de la coquille avant de passer sous le gril du four.

préparation : **5 min**
cuisson : **22 min**
portions : **4**

SPAGHETTIS AUX PALOURDES

Ingrédients vedettes

- 300 g (10 oz) de **spaghettis**
- 5 ml (1 c. à thé) d'**huile d'olive**
- 5 ml (1 c. à thé) d'**ail** haché
- 1/2 **oignon jaune** haché
- 1,3 kg (3 lb) de **palourdes** fraîches en coquille, lavées
- 125 ml (1/2 tasse) de **vin blanc** (facultatif)
- 250 ml (1 tasse) de **jus de palourde***
- 1 petit **piment fort** haché
- 60 ml (1/4 tasse) de **persil** frais, haché finement
- **Poivre** concassé
- **Fleur de sel**

* Le jus de palourde est vendu en pot dans les poissonneries et dans plusieurs épiceries.

1. Cuire les pâtes dans l'eau bouillante salée. Égoutter environ 5 minutes avant la fin de la cuisson. Ne pas rincer. Réserver. La cuisson des pâtes sera complétée avec les palourdes.
2. Dans une poêle à hauts rebords, sauter l'ail et l'oignon dans l'huile à feu moyen-vif 5 minutes.
3. Ajouter le vin, le jus de palourde et le piment et porter à ébullition à feu vif.
4. Ajouter les pâtes et les palourdes, remuer délicatement et cuire de 5 à 10 minutes à feu vif ou jusqu'à ce que les palourdes soient toutes ouvertes et que les pâtes soient *al dente.*
5. Ajouter le persil. Remuer de nouveau et servir. Garnir de poivre frais moulu et d'une pincée de fleur de sel.

● **CONSEIL RAPIDO**

La palourde est un coquillage méconnu des Québécois. Pourtant, c'est savoureux, riche en protéines et faible en gras, en plus de contenir de bons gras oméga-3. Que voulez-vous de plus ? Pour les grandes occasions, préparez cette recette avec des palourdes fraîches en coquille et complétez avec du jus de palourde, vendu en pot dans les poissonneries. Si vous voulez faire cette recette à petit prix, employez des palourdes en conserve. Utilisez 2 boîtes de 142 g (5 oz) et conservez le jus.

VALEUR NUTRITIVE
(par portion)
Énergie : **341 Cal**
Protéines : **18 g**
Matières grasses : **3 g**
Glucides : **60 g**
Fibres : **6,7 g**
Sodium : **243 mg**

● **VOUS AVEZ PLUS DE TEMPS ?**

Pour un repas plus élaboré qui impressionnera vos invités, préparez une entrée et une salade d'accompagnement parmi celles proposées aux pages 34 à 41.

Ingrédients vedettes

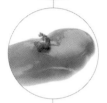

POULET SAUCE AU RHUM ET AUX CHAMPIGNONS

- 600 g (1 1/3) de **poitrines de poulet** (environ 2 grosses demi-poitrines)
- 5 ml (1 c. à thé) d'**huile**
- 1 petit **oignon jaune** haché
- 227 g (1/2 lb) de **champignons blancs** tranchés (1 paquet)
- 5 ml (1 c. à thé) d'**ail** haché
- 80 ml (1/3 tasse) de **rhum**
- 125 ml (1/2 tasse) de **bouillon de poulet** maison ou du commerce, réduit en sodium
- 125 ml (1/2 tasse) de **lait**
- 7 ml (1 1/2 c. à thé) de **fécule de maïs** diluée dans un peu d'eau
- **Poivre** concassé
- **Ciboulette** hachée (facultatif)

1. Couper les demi-poitrines en 2 sur l'épaisseur pour obtenir 4 morceaux de poulet de taille semblable.
2. Préchauffer le four à 180 °C (350 °F).
3. Dans une poêle antiadhésive, griller le poulet dans l'huile 3 minutes à feu vif. Lorsqu'un côté du poulet est doré, tourner les morceaux et dorer l'autre côté environ 3 minutes.

4. Retirer les morceaux de poulet, les placer dans un plat et terminer la cuisson 8 à 10 minutes au four.
5. Pendant ce temps, ajouter les oignons à la poêle, et cuire 2 minutes à feu moyen-vif.
6. Ajouter les champignons et l'ail, et cuire 6 minutes en remuant toutes les 2 minutes. Éviter de remuer trop souvent pour permettre aux champignons de bien dorer.
7. Déglacer avec le rhum. Ajouter ensuite le bouillon et le lait.
8. Au premier bouillon, réduire à feu doux, ajouter la fécule et bien mélanger.
9. Remettre le poulet dans la poêle, verser le jus de cuisson et mélanger. Poursuivre la cuisson 5 minutes. Poivrer, ajouter de la ciboulette (si désiré) et servir accompagné de pommes de terre grelots et d'un légume vert.

● **CONSEIL RAPIDO**

Je cuisine rarement avec de l'alcool fort et, pourtant, chaque fois, je trouve ça délicieux. En bouche, l'alcool multiplie les saveurs des autres ingrédients. L'ajout de rhum donne donc des allures festives à cette sauce toute simple. Parions que vos invités lècheront leur plat ce soir. Au diable la politesse !

VALEUR NUTRITIVE
(par portion)
Énergie : **246 Cal**
Protéines : **35 g**
Matières grasses : **4 g**
Glucides : **6 g**
Fibres : **0,9 g**
Sodium : **116 mg**

● **VOUS AVEZ PLUS DE TEMPS ?**

Vous pouvez remplacer la moitié du lait par de la crème et omettre la fécule de maïs. Laissez mijoter la sauce 5 minutes de plus à l'étape 9. Le poulet sera encore plus tendre et la sauce, plus onctueuse et savoureuse. Ce sera un peu plus gras, mais pour une occasion spéciale, pourquoi pas ?

«Il n'y a rien de mieux qu'un plat inspiré des cuisines du monde pour briser la monotonie. En attendant de partir en voyage... je fais voyager mes papilles!»

POULET JERK

Ingrédients vedettes

- 180 ml (3/4 tasse) de **cassonade**
- 30 ml (2 c. à soupe) de **jus de pomme** ou d'orange
- 30 ml (2 c. à soupe) de **sauce soya**
- 10 ml (2 c. à thé) d'**ail** haché
- 5 ml (1 c. à thé) de **piment de la Jamaïque** moulu (allspice)
- 5 ml (1 c. à thé) de flocons de **piment fort**
- 5 ml (1 c. à thé) de **poivre** concassé
- 900 g (2 lb) de **pilons de poulet** sans la peau

1. Préchauffer le four à 230 °C (450 °F).
2. Dans un grand bol, mélanger tous les ingrédients sauf le poulet.
3. Ajouter le poulet et bien mélanger pour l'enrober.
4. Placer les pilons dans un plat de cuisson en pyrex (ou l'équivalent). Verser un peu de marinade sur les pilons. Réserver le reste pour la mi-cuisson.
5. Cuire au four 25 minutes. Retourner les pilons après 15 minutes de cuisson et ajouter le reste de la marinade.
6. Servir avec une salade verte.

● **CONSEIL RAPIDO**

Cette recette, je la dois à Ike, un cuisinier rencontré lors d'un voyage en Jamaïque avec ma petite famille. Il m'a transmis sa recette de grillades jamaïcaines. Pour un vrai Jerk, la viande doit mariner pendant plusieurs heures et griller lentement au barbecue. Je vous propose une version plus rapide. Choisissez de petits morceaux de viande, comme des pilons. Le piment de la Jamaïque est essentiel pour cette recette. Également connue sous le nom de allspice ou tout-épice, cette baie séchée rappelle la cannelle, la muscade, le girofle et le poivre noir.

VALEUR NUTRITIVE
(par portion)
Énergie : **387 Cal**
Protéines : **46 g**
Matières grasses : **9 g**
Glucides : **29 g**
Fibres : **0,5 g**
Sodium : **469 mg**

● **VOUS AVEZ PLUS DE TEMPS ?**

L'idéal est de laisser reposer le poulet quelques heures dans sa marinade. Le poulet Jerk est traditionnellement assez piquant, alors osez ajouter jusqu'à 15 ml (1 c. à soupe) de piment. Si vous aimez les émotions fortes, vous serez bien servis avec cette recette !

préparation : **10 min**
cuisson : **20 min**
portions : **4**

PORC TANDOORI

Ingrédients vedettes

- 250 ml (1 tasse) de **riz basmati** rincé et égoutté
- Le jus de 1 **citron**
- 30 ml (2 c. à soupe) de **yogourt** nature
- 30 ml (2 c. à soupe) d'**épices à tandoori** du commerce
- 5 ml (1 c. à thé) de **paprika**
- 5 ml (1 c. à thé) d'**ail** haché
- 450 g (1 lb) de **filet de porc** (1 filet)
- 60 ml (1/4 tasse) de **coriandre** ou de persil plat haché

1. Préchauffer le four à 200 °C (400 °F).
2. Dans une casserole moyenne, mettre le riz et 375 ml (1 1/2 tasse) d'eau. Porter à ébullition, réduire à feu moyen-doux, couvrir et laisser mijoter 15 minutes ou jusqu'à ce que l'eau soit absorbée. Ajouter le jus de citron. Réserver. Laisser le couvercle.
3. Pendant ce temps, dans un grand bol, mélanger le yogourt, les épices et l'ail. Ajouter le filet de porc et mélanger pour bien l'enrober.
4. Dans une poêle striée, saisir le filet de porc sur tous les côtés à feu vif.
5. Placer le filet sur une plaque de cuisson doublée de papier parchemin et terminer la cuisson au four 10 minutes ou jusqu'à ce que l'intérieur du filet soit rosé. Sortir le porc du four, couvrir de papier d'aluminium et laisser reposer 5 minutes.
6. Pendant ce temps, distribuer le riz dans 4 bols de service. Garnir de coriandre.
7. Trancher le filet de porc et répartir sur le riz. Servir.

● CONSEIL RAPIDO

J'ai toujours quelques pots d'épices indiennes dans ma cuisine. Du biryani, du garam massala, de la pâte de cari tikka, tandoori ou madras... C'est un univers de saveurs que je découvre avec beaucoup de plaisir. Avant, je croyais à tort que la cuisine indienne était toujours incendiaire. C'est faux, c'est une cuisine relevée, mais surtout très parfumée. Certains mélanges d'épices sont plus doux et d'autres plus forts, et c'est habituellement écrit sur l'étiquette du produit.

VALEUR NUTRITIVE
(par portion)
Énergie : **310 Cal**
Protéines : **28 g**
Matières grasses : **3 g**
Glucides : **41 g**
Fibres : **1,6 g**
Sodium : **70 mg**

● VOUS AVEZ PLUS DE TEMPS ?

Préparez une **raïta** (sauce fraîche indienne) en mélangeant 250 ml (1 tasse) de yogourt nature, 1 concombre pelé et râpé (sans les graines), 1 tomate en petits dés, 60 ml (1/4 tasse) de menthe fraîche hachée, 10 ml (2 c. à thé) de cumin moulu, un peu de sel et du poivre frais moulu. Cette sauce accompagne bien les plats relevés. Elle apaisera vos papilles !

CARI DE DINDE

Ingrédients vedettes

- 250 ml (1 tasse) de **riz basmati** rincé et égoutté
- 5 ml (1 c. à thé) d'**ail** haché
- 1/2 **oignon** haché
- 1 branche de **céleri** hachée
- 1 **poivron rouge** haché
- 500 ml (2 tasses) de **dinde** cuite*, en dés
- 1 boîte de 165 ml (5,5 oz) de **lait de coco**
- 10 ml (2 c. à thé) de poudre de **cari** (ou plus, au goût)
- 5 ml (1 c. à thé) de **curcuma**
- 5 ml (1 c. à thé) de **cumin**
- **Poivre** concassé
- 60 ml (1/4 tasse) de chacun : **ciboulette** fraîche hachée et **yogourt** nature
- 2 **oignons verts** hachés (facultatif)

*Vous pouvez remplacer la dinde cuite par 8 hauts de cuisse de poulet désossés, sans la peau, que vous ferez cuire avec les légumes à l'étape 2.

1. Dans une casserole, mettre le riz et 500 ml (2 tasses) d'eau. Porter à ébullition, réduire à feu moyen, couvrir et cuire 15 minutes. Réserver. Laisser le couvercle.
2. Pendant ce temps, dans une grande poêle antiadhésive, cuire l'ail et l'oignon 3 minutes à feu moyen sans ajouter d'huile. Ajouter les autres légumes et cuire 7 minutes.
3. Ajouter la dinde, le lait de coco, le cari, le curcuma, le cumin et laisser mijoter 5 minutes en remuant. Retirer du feu.
4. Assaisonner, ajouter la ciboulette et le yogourt et remuer.
5. Pour servir, former un nid de riz dans chaque assiette. Ajouter une portion de cari au centre et garnir d'oignons verts si désiré.

● CONSEIL RAPIDO

L'ail en gousse est meilleur au goût que l'ail haché en pot. Mais quand le temps presse, chaque petit geste compte et l'ail en pot devient un bon dépanneur. Calculez 5 ml (1 c. à thé) pour remplacer une gousse. Pour ceux qui tolèrent mal l'ail, sachez qu'une fois cuit, il est plus facile à digérer. Toutefois, dans toutes les recettes du livre, on peut omettre l'ail et ce sera quand même très bon !

VALEUR NUTRITIVE
(par portion)
Énergie : **378 Cal**
Protéines : **27 g**
Matières grasses : **10 g**
Glucides : **45 g**
Fibres : **3,1 g**
Sodium : **75 mg**

● VOUS AVEZ PLUS DE TEMPS ?

À l'aide d'un pinceau, badigeonnez un **pain naan** du commerce d'un peu d'huile d'olive. Saupoudrez de graines de nigelle (aussi nommées cumin noir). Réchauffez au four à 200 °C (400 °F) pendant 3 minutes avant de déguster.

Ingrédients vedettes

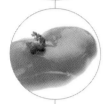

BROCHETTES DE POULET, SAUCE À L'ARACHIDE

- 450 g (1 lb) de **poitrines de poulet** désossées, sans la peau (environ 2 demi-poitrines), en cubes
- 30 ml (2 c. à soupe) de **miel** liquide
- 15 ml (1 c. à soupe) de chacun: **vinaigre de riz** et **sauce soya**
- 5 ml (1 c. à thé) de chacun: **huile** et **ail** haché
- 15 ml (1 c. à soupe) de **graines de sésame**

SAUCE À L'ARACHIDE

- 45 ml (3 c. à soupe) de **beurre d'arachide** croquant
- 30 ml (2 c. à soupe) de **vinaigre de riz**
- 15 ml (1 c. à soupe) de **miel** liquide
- 2,5 ml (1/2 c. à thé) de **flocons de piment fort**

1. Préchauffer le gril du four (à *broil*). Placer la grille à la position du haut.
2. Dans un bol, mélanger le poulet, le miel, le vinaigre, la sauce soya, l'huile et l'ail. Laisser mariner 5 minutes puis enfiler les cubes sur des tiges de bambou pour obtenir 8 brochettes.
3. Déposer les brochettes sur une grille placée sur une plaque de cuisson. Saupoudrer de graines de sésame et cuire sous le gril (à *broil*) 5 minutes de chaque côté ou jusqu'à ce que le poulet soit cuit jusqu'au centre, mais encore juteux.
4. Pendant ce temps, mélanger les ingrédients de la sauce à l'arachide. Ajouter 15 ml (1 c. à soupe) d'eau. Chauffer 45 secondes au four à micro-ondes juste avant de servir.
5. Servir les brochettes de poulet avec la sauce aux arachides. Accompagner de riz au jasmin cuit à la vapeur.

● **CONSEIL RAPIDO**

Si vous êtes allergique aux arachides, mais pas aux pois, essayez le beurre de pois doré. Son goût ressemble étrangement à celui du beurre d'arachide et convient très bien à cette recette. On le trouve dans les magasins d'alimentation naturelle ou dans la section réservée aux aliments naturels dans les grandes épiceries. Si vous n'êtes pas certains que ce produit vous convient, parlez-en à votre allergologue ou à votre nutritionniste avant d'en consommer.

VALEUR NUTRITIVE
(par portion)
Énergie : **270 Cal**
Protéines : **30 g**
Matières grasses : **10 g**
Glucides : **17 g**
Fibres : **1,5 g**
Sodium : **250 mg**

● **VOUS AVEZ PLUS DE TEMPS ?**
Préparez des légumes sautés à l'asiatique. Pour la méthode, consultez les idées en 5 minutes à la page 39.

POULET AU POIVRE ET AU CITRON

Ingrédients vedettes

- 250 ml (1 tasse) de **riz basmati** rincé et égoutté
- 450 g (1 lb) de **hauts de cuisse de poulet** désossés sans la peau, coupés en 4
- Le zeste et le jus de 1 **citron**
- 30 ml (2 c. à soupe) de **sauce soya**
- 10 ml (2 c. à thé) d'**ail** haché
- 5 ml (1 c. à thé) d'**huile d'olive**
- 15 ml (1 c. à soupe) de **poivre** concassé
- 1 **citron** en quartiers
- **Coriandre** ou **persil plat** frais, haché grossièrement (facultatif)

1. Préchauffer le gril du four (à *broil*). Placer la grille à la position du haut.
2. Dans une casserole, mettre le riz et 500 ml (2 tasses) d'eau. Porter à ébullition, réduire à feu moyen, couvrir et cuire 15 minutes ou jusqu'à ce que l'eau soit absorbée. Réserver. Laisser le couvercle.
3. Pendant ce temps, dans un grand bol, mélanger le poulet, le zeste et le jus de citron, la sauce soya, l'ail, l'huile et le poivre.
4. Déposer les morceaux de poulet sur une grille placée sur une plaque de cuisson.
5. Cuire le poulet sous le gril 5 à 7 minutes de chaque côté ou jusqu'à ce que le poulet soit cuit jusqu'au centre, mais encore juteux.
6. Servir avec le riz basmati et les quartiers de citron. Garnir de coriandre ou de persil plat, si désiré.

● **CONSEIL RAPIDO**

Pour maximiser les saveurs de vos recettes, concassez le poivre à la dernière minute à l'aide d'un bon moulin. Oubliez le poivre déjà moulu et vendu en grande quantité. Ce poivre bon marché a déjà perdu beaucoup de saveur au moment de l'achat et il est même parfois mélangé à d'autres ingrédients moins coûteux comme de l'amidon. Achetez toujours du poivre en grains, vous ne le regretterez pas ! Le poivre vert est plus fruité, le blanc plus doux et le noir plus piquant. Pour plus d'exotisme, tournez-vous vers d'autres variétés comme le poivre long.

VALEUR NUTRITIVE
(par portion)
Énergie : **333 Cal**
Protéines : **27 g**
Matières grasses : **6 g**
Glucides : **43 g**
Fibres : **2,5 g**
Sodium : **368 mg**

● **VOUS AVEZ PLUS DE TEMPS ?**
Préparez des fleurons de brocoli au sésame. Pour la méthode, consultez les idées en 5 minutes à la page 38.

FILET DE PORC À L'INDIENNE

Ingrédients vedettes

- 250 ml (1 tasse) de **riz basmati** rincé et égoutté
- 500 ml (2 tasses) de **bouillon de poulet** maison ou du commerce, réduit en sodium
- 450 g (1 lb) de **filet de porc** coupé en gros cubes (1 filet)
- 15 ml (1 c. à soupe) de poudre de **cari**
- 5 ml (1 c. à thé) d'**huile d'olive**
- 5 ml (1 c. à thé) d'**ail** haché
- Le jus de 1 **citron**
- 1 **poivron rouge** en petits dés
- **Coriandre** fraîche hachée grossièrement (facultatif)

1. Préchauffer le gril du four (à *broil*). Placer la grille à la position du haut.
2. Dans une casserole, mélanger le riz et le bouillon. Porter à ébullition, réduire à feu moyen, couvrir et cuire 15 minutes ou jusqu'à ce que l'eau soit absorbée. Réserver. Laisser le couvercle.
3. Pendant ce temps, dans un grand bol, mélanger le porc, le cari, l'huile, l'ail et le jus de citron. Enfiler les cubes sur des tiges de bambou pour obtenir 8 brochettes.
4. Déposer les brochettes sur une grille placée sur une plaque de cuisson. Cuire sous le gril 5 minutes de chaque côté, ou jusqu'à ce que le porc soit doré à l'extérieur et rosé à l'intérieur.
5. Ajouter le poivron rouge au riz et servir avec les brochettes de porc. Garnir de coriandre fraîche, si désiré.

● **CONSEIL RAPIDO**

Le filet de porc est un excellent complice de la cuisine rapide. Il est déjà très tendre et peut se consommer rosé. Il sera à son meilleur cuit rapidement à feu vif. Si le filet de porc est trop cuit, il s'assèchera et perdra énormément de saveur. Transformez cette recette en variant les épices, mais en conservant la même méthode. Remplacez la poudre de cari par 30 ml (2 c. à soupe) d'épices Cajun du commerce.

VALEUR NUTRITIVE
(par portion)
Énergie : **347 Cal**
Protéines : **31 g**
Matières grasses : **5 g**
Glucides : **44 g**
Fibres : **2,1 g**
Sodium : **332 mg**

● **VOUS AVEZ PLUS DE TEMPS ?**
Préparez des petits pois à l'indienne. Pour la méthode, consultez les idées en 5 minutes à la page 38.

Ingrédients vedettes

CHAUDRÉE MEXICAINE AU POULET

- 5 ml (1 c. à thé) d'**huile**
- 450 g (1 lb) de **hauts de cuisse de poulet** désossés, sans la peau, en lanières
- 1 **oignon rouge** haché
- 1 branche de **céleri** hachée
- 250 ml (1 tasse) de **maïs en grains** surgelé
- 1 **poivron rouge** haché
- 1 litre (4 tasses) de **bouillon de poulet** maison ou du commerce, réduit en sodium
- 1 boîte de 796 ml (28 oz) de **tomates broyées**
- 5 ml (1 c. à thé) de **cumin** moulu
- 1 trait de **sauce piquante** (de type Tabasco)
- **Sel** et **poivre**
- 60 ml (1/4 tasse) de **coriandre** fraîche hachée
- 1 **lime** en quartiers
- **Croustilles de maïs** cuites au four (facultatif)

1. Dans une marmite, faire dorer le poulet dans l'huile 5 minutes à feu vif en retournant les lanières à la mi-cuisson.
2. Ajouter l'oignon, le céleri, le maïs et le poivron, et poursuivre la cuisson 5 minutes à feu vif en remuant régulièrement.
3. Ajouter le bouillon, les tomates, le cumin et la sauce piquante. Porter à ébullition et laisser mijoter 8 à 10 minutes à feu vif.
4. Ajuster l'assaisonnement au goût. Garnir chaque portion de coriandre fraîche et servir accompagné de lime et de croustilles de maïs.

● **CONSEIL RAPIDO**

Pourquoi ne pas organiser une journée popote entre amis ? Vous pourrez faire cette soupe mexicaine, mais aussi une grosse sauce à spaghetti, un potage, de la ratatouille, un ragoût, des muffins, du dessert... et diviser chaque recette par le nombre de cuisiniers. Plaisir garanti !

VALEUR NUTRITIVE
(par portion)
Énergie : **336 Cal**
Protéines : **33 g**
Matières grasses : **9 g**
Glucides : **37 g**
Fibres : **6,4 g**
Sodium : **284 mg**

● **VOUS AVEZ PLUS DE TEMPS ?**

Faites vos propres croustilles de maïs. Badigeonnez des **tortillas mexicaines** d'un peu d'huile d'olive. Assaisonnez de cumin et de flocons de piment fort. Taillez chaque tortilla en 8 pointes. Placez sur une plaque de cuisson et faites cuire 10 minutes à 180 °C (350 °F) ou jusqu'à ce que les pointes soient dorées et croustillantes.

Ingrédients vedettes

CREVETTES THAÏ AU CARI ROUGE

- 5 ml (1 c. à thé) d'**huile**
- 1 **oignon rouge** coupé en 8 morceaux
- 250 ml (1 tasse) de **haricots verts** coupés en tronçons
- 1 **poivron jaune** coupé en lanières
- 450 g (1 lb) de **crevettes** crues, surgelées et décortiquées
- 5 ml (1 c. à thé) d'**ail** haché
- 5 ml (1 c. à thé) de **gingembre** haché
- 60 ml à 80 ml (1/4 à 1/3 tasse) de **pâte de cari rouge** thaï
- 3 **oignons verts** hachés (parties blanches et vertes)
- 60 ml (1/4 tasse) de **coriandre** fraîche hachée

1. Dans une poêle antiadhésive à hauts rebords, faire revenir l'oignon dans l'huile 5 minutes à feu vif.
2. Ajouter les haricots et le poivron, et cuire 5 minutes de plus.
3. Réduire à feu moyen, ajouter les crevettes, l'ail, le gingembre, la pâte de cari et les oignons verts, et cuire encore 5 à 7 minutes, jusqu'à ce que les crevettes passent du gris au rose.
4. Garnir de coriandre et servir avec un bol de riz vapeur.

● **CONSEIL RAPIDO**

La pâte de cari rouge thaï est un mélange contenant de l'échalote, de l'ail, du galanga, de la citronnelle, du chili, du zeste de lime et de la pâte de crevette. On la trouve en pot, dans la section des condiments asiatiques de la plupart des épiceries. Selon l'intensité désirée, vous pouvez en mettre plus ou moins. Le galanga est une racine au goût légèrement piquant, cousin du gingembre.

VALEUR NUTRITIVE
(par portion)
Énergie : **175 Cal**
Protéines : **23 g**
Matières grasses : **4 g**
Glucides : **11 g**
Fibres : **2,2 g**
Sodium : **454 mg**

● **VOUS AVEZ PLUS DE TEMPS ?**

Pour varier la recette, remplacez les crevettes par des cubes de poulet et ajoutez plus de légumes, selon ce que vous avez dans le frigo. Le poulet nécessitera un peu plus de cuisson. Intégrez-le à l'étape 1 et prolongez la cuisson de quelques minutes, jusqu'à ce qu'il soit doré.

SOUPE-REPAS ASIATIQUE

Ingrédients vedettes

- 4 pavés de **saumon** ou de truite d'environ 100 g (3,5 oz) chacun, sans la peau
- 5 ml (1 c. à thé) de chacun : **huile**, **sauce soya**, **ail** haché et **gingembre** haché
- 2 litres (8 tasses) de **bouillon de poulet** maison ou du commerce, réduit en sodium
- 60 ml (1/4 tasse) de chacun : **sauce soya** et **vinaigre de riz**
- 15 ml (1 c. à soupe) de **citronnelle** broyée (facultatif)
- 1 **anis étoilé** (facultatif)
- 2 petits **piments forts** hachés ou 2,5 ml (1/2 c. à thé) de flocons de piment fort
- 250 g (8 oz) de **nouilles de riz** larges
- 2 **carottes** râpées ou coupées en ruban
- 3 **oignons verts** hachés (partie blanche et verte)
- 1 branche de **céleri** hachée
- 1/2 **poivron rouge** en petits dés
- 125 ml (1/2 tasse) de **coriandre** fraîche, hachée

1. Préchauffer le gril du four (à *broil*). Placer la grille à la position du haut.
2. Mettre les pavés de saumon sur une plaque de cuisson doublée de papier parchemin.
3. Dans un petit bol, mélanger l'huile, la sauce soya, l'ail et le gingembre. Badigeonner le saumon de cette préparation et cuire sous le gril pendant 8 minutes ou jusqu'à ce que le saumon soit doré.
4. Pendant ce temps, dans une marmite, porter le bouillon à ébullition. Ajouter la sauce soya, le vinaigre, la citronnelle, l'anis étoilé et le piment fort. Laisser mijoter 2 minutes et goûter le bouillon pour ajuster les assaisonnements.
5. Ajouter le reste des ingrédients sauf la coriandre et laisser mijoter 5 à 7 minutes pour que les nouilles soient cuites, mais les légumes encore croquants.
6. Verser la soupe dans de grands bols et placer un pavé de saumon au centre de chaque portion. Garnir de coriandre. Manger avec des baguettes et une cuillère profonde.

● CONSEIL RAPIDO

Lorsque vous avez un peu plus de temps, profitez-en pour faire votre **bouillon maison**. Utilisez un poulet entier ou même les restes d'un poulet rôti acheté à l'épicerie. Mettez-le dans une casserole, couvrez d'eau, ajoutez 1 oignon, 2 branches de céleri, 2 carottes, des grains de poivre, des flocons de piment fort et des feuilles de laurier, et faites mijoter à découvert pendant au moins une heure. Filtrez et conservez le bouillon 3 jours au frigo ou 3 mois au congélateur. Désossez le poulet et utilisez-le dans les sandwichs.

VALEUR NUTRITIVE *(par portion)*
Énergie : **561 Cal**
Protéines : **34 g**
Matières grasses : **18 g**
Glucides : **65 g**
Fibres : **3,1 g**
Sodium : **681 mg**

● VOUS AVEZ PLUS DE TEMPS ?

À l'étape 4, couvrez et laissez mijoter 10 minutes de plus à feu doux pour permettre aux saveurs de se développer davantage dans le bouillon.

Ingrédients vedettes

AGNEAU AUX ABRICOTS ET AUX AMANDES

- 45 ml (3 c. à soupe) de **miel**
- 20 ml (4 c. à thé) de **vinaigre de cidre**
- 10 ml (2 c. à thé) d'**huile**
- 5 ml (1 c. à thé) d'**ail** haché
- 5 ml (1 c. à thé) de **thym** séché
- 2,5 ml (1/2 c. à thé) de **cannelle** moulue
- 2,5 ml (1/2 c. à thé) de **flocons de piment fort**
- **Sel** et **poivre** concassé
- 600 g (1 1/3 lb) d'**agneau** en cubes ou 1 gros filet de porc en cubes
- 125 ml (1/2 tasse) d'**abricots séchés** coupés en 2
- 80 ml (1/3 tasse) d'**amandes** effilées ou en bâtonnets
- 125 ml (1/2 tasse) de **persil plat** haché grossièrement

1. Dans un grand bol, mélanger le miel, le vinaigre, l'huile, l'ail, le thym, la cannelle, le piment, le sel et le poivre. Ajouter l'agneau et mélanger pour bien enrober. Laisser mariner 5 minutes si désiré.
2. Dans une poêle antiadhésive, cuire la préparation d'agneau 5 minutes à feu vif sans remuer.
3. Tourner les cubes à l'aide de pinces de cuisine. Ajouter les abricots et les amandes sur l'agneau. Ne pas mélanger. Cuire 5 minutes à feu moyen.
4. Remuer les ingrédients dans la poêle et poursuivre la cuisson 5 minutes.
5. Retirer du feu, ajouter le persil, mélanger et servir immédiatement.

● **CONSEIL RAPIDO**

Souvent utilisé pour décorer les plats, plusieurs croient que le persil est une herbe d'apparat, sans goût et sans intérêt. Eh bien, détrompez-vous ! Le persil frisé a un goût amer et un peu piquant, et le persil plat a une texture plus tendre et un goût plus doux et parfumé. Pour conserver du persil frais, il suffit de le passer à l'eau froide, de former un bouquet et de le mettre dans un verre d'eau au frigo. Il restera beau pendant environ 2 semaines, si vous changez l'eau tous les 3 jours.

VALEUR NUTRITIVE
(par portion)
Énergie : **358 Cal**
Protéines : **33 g**
Matières grasses : **14 g**
Glucides : **26 g**
Fibres : **2,8 g**
Sodium : **144 mg**

● **VOUS AVEZ PLUS DE TEMPS ?**

Pour changer du couscous, essayez le bulghur. Contrairement au couscous, le bulghur contient encore le germe, il est donc plus riche en fibres. Pour le cuire, utilisez deux fois plus d'eau que de bulghur et laissez mijoter doucement environ 30 minutes ou jusqu'à ce que l'eau soit complètement absorbée.

AUBERGINES FARCIES

Ingrédients vedettes

- 4 petites **aubergines**
- 450 g (1 lb) de **bœuf haché** extra-maigre
- 1 **oignon jaune** haché finement
- 250 ml (1 tasse) de **champignons blancs** hachés finement
- 15 ml (1 c. à soupe) de **sauce soya**
- 10 ml (2 c. à thé) de **thym** séché
- 15 ml (1 c. à soupe) de **paprika**
- 10 ml (2 c. à thé) d'**ail** haché
- 5 ml (1 c. à thé) de **cumin** moulu
- 1 pincée de **piment de Cayenne**
- **Poivre** concassé
- 45 ml (3 c. à soupe) de **noix de pin** (pignons)
- 60 ml (1/4 tasse) de **persil plat** haché

1. Préchauffer le four à 200 °C (400 °F).
2. Couper les aubergines en deux sur le sens de la longueur. Vider la chair à l'aide d'une cuillère à dents (cuillère à pamplemousse) ou en utilisant un couteau d'office (petit couteau). Attention de ne pas traverser la peau de l'aubergine. Hacher finement la chair et réserver les aubergines évidées.
3. Dans une poêle antiadhésive, cuire le bœuf et l'oignon 5 minutes à feu moyen-vif en remuant pour égrainer la viande.
4. Ajouter la chair d'aubergine et les champignons et poursuivre la cuisson environ 5 minutes ou jusqu'à ce que tout le liquide soit évaporé.
5. Ajouter le reste des ingrédients sauf les noix de pin et le persil. Mélanger.
6. Placer les aubergines évidées sur une plaque de cuisson. Farcir chaque moitié de la préparation de bœuf. Garnir de noix de pin et cuire 10 minutes au four.
7. Garnir de persil plat au moment de servir.

● **CONSEIL RAPIDO**

À cause de sa texture très poreuse, l'aubergine absorbe le liquide qui l'entoure. C'est pourquoi je privilégie des recettes comme celle-ci où l'aubergine est farcie plutôt que frite. Je préfère aussi les petites aubergines minces qui ont moins de chair et qui sont moins amères. À l'achat, choisissez les aubergines à la peau brillante et lisse. Laissez de côté celles qui sont un peu ridées.

VALEUR NUTRITIVE
(par portion)
Énergie : **336 Cal**
Protéines : **28 g**
Matières grasses : **17 g**
Glucides : **22 g**
Fibres : **11,4 g**
Sodium : **219 mg**

● **VOUS AVEZ PLUS DE TEMPS ?**

Ajoutez d'autres légumes à l'étape 4. Les courgettes vertes (zucchinis), les tomates, le céleri et le poivron, tous coupés en dés, seront délicieux dans cette recette. Ajustez les assaisonnements au moment de remplir les aubergines et ajoutez le reste de la farce à des demi-poivrons évidés. Comptez 5 minutes de plus pour la cuisson au four.

préparation : **10 min**
cuisson : **20 min**
portions : **4**

Ingrédients vedettes

COUSCOUS À LA MAROCAINE

- 750 ml (3 tasses) de **bouillon de poulet** maison ou du commerce, réduit en sodium
- 1 gros **rutabaga** (environ 350 g / 11,5 oz) en cubes*
- 5 **carottes** moyennes, en tronçons*
- 1 gousse d'**ail** entière
- 2,5 ml (1/2 c. à thé) de **flocons de piment fort**
- Quelques **clous de girofle** entiers
- 250 ml (1 tasse) de **couscous** à cuisson rapide
- 1 boîte de 540 ml (19 oz) de **pois chiches**, rincés et égouttés
- 10 ml (2 c. à thé) de **cumin** moulu
- 10 ml (2 c. à thé) de **thym** séché
- 2,5 ml (1/2 c. à thé) de **coriandre** moulue
- 2,5 ml (1/2 c. à thé) de **cannelle** moulue
- 1 pincée de **piment de Cayenne**
- **Poivre** concassé
- 450 g (1 lb) de cubes de **bœuf** à fondue bourguignonne

*Pour une cuisson encore plus rapide, coupez le rutabaga en petits dés et les carottes en tranches.

1. Dans une casserole, mélanger les 6 premiers ingrédients. Couvrir, porter à ébullition et cuire 15 minutes à feu moyen-vif.
2. Pendant ce temps, verser le couscous dans un gros bol de service (ou un saladier), ajouter les pois chiches. Ne pas mélanger. Réserver.
3. Dans un petit bol, mélanger toutes les épices.
4. Lorsque les légumes sont tendres, verser tout le contenu de la casserole dans le bol contenant le couscous et les pois chiches. Ne pas mélanger, couvrir et laisser reposer 5 minutes.
5. Pendant ce temps, dans une poêle antiadhésive bien chaude, saisir les cubes de viande de tous les côtés à feu vif 2 ou 3 minutes. Égoutter le gras au besoin pour éviter de faire bouillir la viande. Il est important de saisir rapidement la viande pour qu'elle soit grillée à l'extérieur et rosée à l'intérieur. Sinon, elle sera sèche et dure.
6. Retirer du feu, ajouter la préparation d'épices sur les cubes de bœuf, mélanger pour enrober et verser sur les légumes. Placer le bol au centre de la table et laisser chacun se servir.

● **CONSEIL RAPIDO**

Le couscous minute... quel ingrédient pratique ! C'est mon chouchou. J'aurais voulu en mettre dans une recette sur deux, mais je me suis retenue ! Pour le cuire, j'ajoute entre une fois et demie et deux fois plus de liquide que de couscous, selon la texture recherchée. En utilisant plus d'eau, vous obtiendrez un couscous plus tendre. Variez le liquide pour donner du goût à cette céréale. Utilisez du bouillon de poulet, de légumes ou de bœuf, ou bien du jus de pomme ou d'orange, ou même du jus de légumes.

VALEUR NUTRITIVE
(par portion)
Énergie : **547 Cal**
Protéines : **40 g**
Matières grasses : **8 g**
Glucides : **81 g**
Fibres : **13,0 g**
Sodium : **578 mg**

● **VOUS AVEZ PLUS DE TEMPS ?**
Un couscous royal traditionnel, avec de l'agneau braisé et des saucisses merguez, c'est vraiment bon, mais beaucoup plus long à préparer. Si vous avez envie du vrai de vrai, consultez des livres de cuisine marocaine pour préparer une recette authentique. Il vous faudra environ 2 heures !

Ingrédients vedettes

KEFTAS ET SAUCE À LA MENTHE

- 450 g (1 lb) d'**agneau** haché (ou veau)
- 60 ml (1/4 tasse) de **menthe** fraîche hachée
- 60 ml (1/4 tasse) de **coriandre** fraîche hachée
- 60 ml (1/4 tasse) de **persil plat** haché (ou persil italien)
- 60 ml (1/4 tasse) d'**oignon rouge** haché finement
- 10 ml (2 c. à thé) de chacun : **cumin**, **paprika** et **ail** haché
- 1 ml (1/4 c. à thé) de **piment de Cayenne**
- **Poivre** concassé

SAUCE À LA MENTHE
- 250 ml (1 tasse) de **yogourt** nature
- 60 ml (1/4 tasse) de **menthe** fraîche hachée très finement
- 5 ml (1 c. à thé) d'**ail** haché
- 2,5 ml (1/2 c. à thé) de **cumin** moulu
- **Sel** et **poivre** concassé

1. Préchauffer le four à 230 °C (450 °F).
2. Dans un bol, mélanger tous les ingrédients des keftas. Bien manipuler la préparation pour ramollir la viande et permettre à tous les ingrédients d'y adhérer.
3. Avec les mains, prendre une boule de préparation d'environ 80 ml (1/3 tasse). Former un boudin d'environ 7,5 cm (3 po) de long. Insérer une tige de bambou dans le boudin, mais sans qu'elle ressorte à l'autre extrémité. Former 8 keftas et les déposer sur une grille placée sur une plaque de cuisson. Cuire 15 minutes.
4. Pendant ce temps, préparer la sauce à la menthe. Mélanger tous les ingrédients dans un petit bol et servir en accompagnement des keftas. Les keftas se dégustent directement sur le bâton.

● CONSEIL RAPIDO
Cette recette se congèle très bien et vous pouvez la doubler sans problème. À l'étape 3, formez les boudins et placez dans un plat hermétique ceux que vous voulez congeler. Il ne vous restera qu'à insérer une tige de bambou au centre et à les cuire au four, lorsque le moment sera venu. Pendant la cuisson, profitez-en pour préparer une salade grecque. Pour la recette, consultez les idées en 5 minutes à la page 35.

VALEUR NUTRITIVE
(par portion)
Énergie : **265 Cal**
Protéines : **22 g**
Matières grasses : **13 g**
Glucides : **9 g**
Fibres : **1,7 g**
Sodium : **139 mg**

● VOUS AVEZ PLUS DE TEMPS ?
Vous pouvez servir les keftas dans des pains pitas. Ouvrez les pains en deux pour former des pochettes. Dans chaque pain, ajoutez deux keftas, la sauce à la menthe, de la laitue, des tomates et des fines tranches de concombre. Refermez et dégustez.

«Les grillades, c'est convivial à l'année! En janvier, déneigez votre barbecue et recréez l'ambiance des mois d'été, au rythme d'une musique endiablée!»

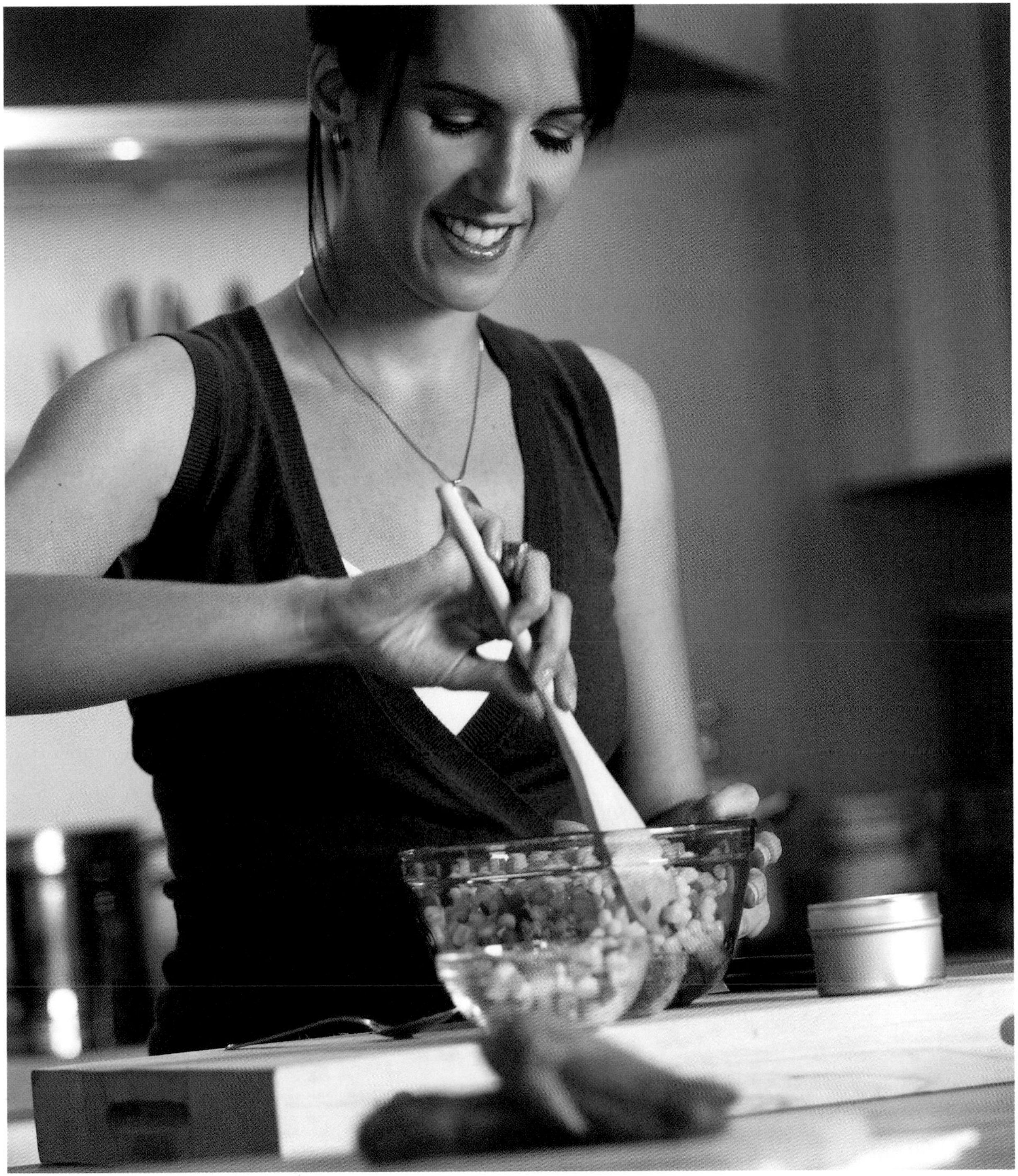

grillades à l'année

Ingrédients vedettes

BROCHETTES D'ESPADON

- Le jus de 1/2 **citron**
- 60 ml (1/4 tasse) de **basilic** frais haché
- 5 ml (1 c. à thé) d'**huile**
- 5 ml (1 c. à thé) d'**ail** haché
- 2,5 ml (1/2 c. à thé) de **paprika**
- 1 pincée de **piment de Cayenne**
- 1 pincée de **sel**
- **Poivre** concassé
- 450 g (1 lb) d'**espadon** en cubes
- 1/2 **poivron rouge** en gros dés
- 1/2 **poivron vert** en gros dés

1. Préchauffer le gril du four (à *broil*). Placer la grille à la position du haut.
2. Dans un grand bol, mélanger le jus de citron, le basilic, l'huile, l'ail, le paprika, le piment, le sel et le poivre.
3. Ajouter l'espadon et les poivrons, mélanger et laisser mariner 5 minutes.
4. Enfiler l'espadon et le poivron en alternance sur des tiges de bambou pour former 8 petites brochettes.
5. Placer sur une plaque de cuisson doublée de papier parchemin. Cuire sous le gril 4 minutes de chaque côté.
6. Servir avec du couscous ou du riz.

VALEUR NUTRITIVE
(par portion)
Énergie : **158 Cal**
Protéines : **23 g**
Matières grasses : **6 g**
Glucides : **3 g**
Fibres : **0,8 g**
Sodium : **141 mg**

● **VOUS AVEZ PLUS DE TEMPS ?**

Ajoutez plus de légumes sur les brochettes. Ce sera plus joli et plus savoureux. Les champignons, les tomates cerises, les oignons verts en tronçons et les oignons rouges en quartiers sont de bons candidats pour ces brochettes !

● **CONSEIL RAPIDO**

Rassurez-vous, dans votre assiette, ce poisson-épée n'a rien de menaçant ! Sa chair ferme est même gagnante auprès des enfants. L'espadon résiste très bien à une cuisson à feu vif, sur le barbecue ou sous le gril. Vous pouvez le remplacer par du thon, de l'esturgeon ou du flétan.

Ingrédients vedettes

BROCHETTES DE CREVETTES

- 60 ml (1/4 tasse) de **basilic thaï** haché
- 15 ml (1 c. à soupe) de **zeste d'orange** haché finement
- 10 ml (2 c. à thé) de **citronnelle** marinée hachée ou 5 ml (1 c. à thé) de pâte de citronnelle
- 10 ml (2 c. à thé) de **gingembre** haché ou 5 ml (1 c. à thé) de gingembre en purée
- 5 ml (1 c. à thé) d'**ail** haché
- 5 ml (1 c. à thé) d'**huile**
- 450 g (1 lb) de grosses **crevettes** crues décortiquées

1. Dans un grand bol, mélanger tous les ingrédients sauf les crevettes.
2. Bien éponger les crevettes, puis les ajouter. Mélanger pour bien enrober.
3. Enfiler les crevettes sur des tiges de bambou et cuire sur le barbecue à intensité moyenne ou dans une poêle striée à feu moyen-vif pendant 5 minutes de chaque côté.
4. Servir avec du riz ou sur une salade.

● **CONSEIL RAPIDO**

La citronnelle, aussi appelée verveine des Indes ou *lemon-grass* en anglais, possède un goût frais et citronné qui se marie bien aux recettes asiatiques. Lorsqu'elle est entière, on n'utilise que sa partie plus souple, soit environ 6 ou 7 cm de la base. Personnellement, j'aime bien la citronnelle en pot, hachée ou en purée. C'est plus rapide et elle se conserve longtemps au frigo. Dans cette recette, j'ajoute aussi du basilic thaï. C'est une variété de basilic au goût plus piquant que le basilic italien. Il est légèrement anisé, avec des notes de menthe. Demandez-le à votre épicier !

VALEUR NUTRITIVE
(par portion)
Énergie : **114 Cal**
Protéines : **21 g**
Matières grasses : **2 g**
Glucides : **1 g**
Fibres : **0,3 g**
Sodium : **224 mg**

● **VOUS AVEZ PLUS DE TEMPS ?**

Composez une **salade de chou asiatique** en mélangeant 500 ml (2 tasses) de chou nappa (chou chinois) haché, 250 ml (1 tasse) d'ananas en petits dés, 125 ml (1/2 tasse) de noix de cajou rôties à sec, un peu de ciboulette et de coriandre hachées. Pour la vinaigrette, mélangez 60 ml (1/4 tasse) chacun d'huile, de vinaigre de riz et de jus d'orange, puis 30 ml (2 c. à soupe) de miel et quelques gouttes d'huile de sésame.

préparation : **15 min**
cuisson : **10 à 12 min**
portions : **4**

Ingrédients vedettes

BAVETTE DE BOEUF GRILLÉE ET SALSA DE MAÏS

- 10 ml (2 c. à thé) de **poivre** en grains
- 10 ml (2 c. à thé) de graines de **cumin**
- 2,5 ml (1/2 c. à thé) de **flocons de piment fort**
- 15 ml (1 c. à soupe) de **sauce soya**
- 10 ml (2 c. à thé) d'**huile d'olive**
- 5 ml (1 c. à thé) d'**ail** haché
- 1 **bavette de bœuf** de 675 g (1 1/2 lb), coupée en 4 morceaux
- 500 ml (2 tasses) de **maïs en grains** surgelé, décongelé
- 1 **poivron rouge** haché finement
- 80 ml (1/3 tasse) de **coriandre** hachée finement
- 80 ml (1/3 tasse) d'**oignon rouge** haché finement
- 10 ml (2 c. à thé) d'**huile d'olive**
- 5 ml (1 c. à thé) de **cumin** moulu
- 1 pincée de **sel**

1. À l'aide d'un mortier ou d'un moulin à café, concasser le poivre, le cumin et le piment. Transvider dans un grand bol et ajouter la sauce soya, l'huile et l'ail. Mettre les bavettes dans le bol, bien enrober de marinade et laisser mariner 5 minutes.
2. Dans une poêle striée à feu moyen-vif ou au barbecue à intensité moyenne, cuire la bavette 5 minutes de chaque côté ou jusqu'à la cuisson désirée (saignant, rosé ou bien cuit).
3. Pendant ce temps, dans un grand bol, mélanger le maïs, le poivron, la coriandre, l'oignon, l'huile, le cumin et le sel. Ajuster les assaisonnements au goût. Si la salsa est trop froide, chauffer 1 minute au four à micro-ondes pour tempérer.
4. Répartir la salsa dans 4 assiettes et déposer un morceau de bavette sur chaque portion. Servir.

● CONSEIL RAPIDO

La bavette est située dans le flanc du bœuf. C'est une pièce très tendre et qui convient très bien au barbecue. Dans cette recette, vous pouvez la remplacer par une autre coupe de steak comme l'entrecôte ou le fameux T-bone. Et il n'y a pas meilleur bouillon de bœuf que celui fait des restes de steak qui auront mijoté avec les os et les épices dans une marmite d'eau. C'est un truc de mon père !

VALEUR NUTRITIVE
(par portion)
Énergie : **381 Cal**
Protéines : **40 g**
Matières grasses : **16 g**
Glucides : **20 g**
Fibres : **3,1 g**
Sodium : **277 mg**

● **VOUS AVEZ PLUS DE TEMPS ?**
Préparez des frites maison cuites au four. Pour la méthode, consultez la page 168.

Ingrédients vedettes

BROCHETTES D'AGNEAU ET COUSCOUS AUX AMANDES

- Le zeste et le jus de 1 **citron**
- 10 ml (2 c. à thé) d'**ail** haché
- 5 ml (1 c. à thé) d'**huile**
- 600 g (1 1/3 lb) d'**agneau** en cubes ou 1 gros filet de porc en cubes
- 250 ml (1 tasse) de **couscous**
- 375 ml (1 1/2 tasse) de **bouillon de bœuf** réduit en sodium
- 80 ml (1/3 tasse) d'**amandes effilées**
- 45 ml (3 c. à soupe) de **menthe** fraîche hachée
- **Poivre** concassé

1. Dans un grand bol, mélanger le zeste et le jus de citron, l'ail, l'huile et les cubes d'agneau. Laisser mariner 5 minutes. Enfiler les cubes sur des tiges de bambou et conserver la marinade.
2. Dans une casserole, verser le bouillon de bœuf et la marinade, et porter à ébullition.
3. Pendant ce temps, mettre le couscous et les amandes dans un grand bol.
4. Verser le bouillon sur le couscous et laisser reposer 5 minutes ou jusqu'à ce que le couscous soit tendre.
5. Cuire les brochettes sur le barbecue à intensité moyenne ou dans une poêle striée, à feu moyen-vif. Calculer environ 5 minutes de chaque côté.
6. Ajouter la menthe au couscous. Poivrer généreusement et mélanger à la fourchette. Répartir dans 4 assiettes et ajouter une brochette d'agneau grillée. Servir.

● **CONSEIL RAPIDO**

Il n'y a rien de mieux que le jus de citron frais pressé. En prime, on obtient les zestes pour relever nos recettes. Oubliez le jus de citron concentré. J'ai toujours des citrons frais dans le frigo et ils se conservent très longtemps. Avant de le trancher, roulez-le fermement sur le comptoir. Le citron vous rendra plus facilement son jus. S'il est trop froid, passez-le une quinzaine de secondes au four à micro-ondes, il sera plus généreux !

VALEUR NUTRITIVE
(par portion)
Énergie : **440 Cal**
Protéines : **40 g**
Matières grasses : **14 g**
Glucides : **40 g**
Fibres : **4,7 g**
Sodium : **131 mg**

● **VOUS AVEZ PLUS DE TEMPS ?**

Préparez une **sauce au yogourt et au fromage de chèvre**. Mélangez dans un petit bol 1/2 concombre pelé en dés (retirez les graines à l'aide d'une petite cuillère), 125 ml (1/2 tasse) de yogourt nature et la même quantité de fromage de chèvre émietté, le jus d'un citron, 1 gousse d'ail hachée finement, de la menthe hachée, du sel et du poivre. Accompagnez votre plat de haricots verts aux amandes (consultez les idées en 5 minutes, page 40).

Ingrédients vedettes

BOULETTES DE PORC CARAMÉLISÉES

- 125 ml (1/2 tasse) de **miel**
- 80 ml (1/3 tasse) de **pâte de tomates**
- 10 ml (2 c. à thé) de **vinaigre de vin**
- 5 ml (1 c. à thé) d'**ail** haché
- 1 trait de **sauce piquante** (de type Tabasco)
- 1 trait de **sauce anglaise** (Worcestershire)
- **Sel** et **poivre** concassé
- 450 g (1 lb) de **porc haché** maigre
- 150 ml (2/3 tasse) de **chapelure** de blé entier à l'italienne
- 80 ml (1/3 tasse) de **persil plat** frais, haché

1. Préchauffer le four à 230 °C (450 °F).
2. Dans un bol, mélanger le miel, la pâte de tomates, le vinaigre, l'ail, la sauce piquante, la sauce anglaise, le sel et le poivre.
3. Dans un autre bol, bien mélanger la viande, la chapelure, 60 ml (1/4 tasse) de persil plat et la moitié de la sauce au miel. Former des boulettes d'environ 4 cm (1,5 po) de diamètre. Les enfiler sur des pics à brochette.
4. Dans une poêle antiadhésive, saisir les boulettes de tous les côtés à feu vif.
5. Placer les brochettes sur une plaque de cuisson doublée de papier parchemin, badigeonner du reste de la sauce et cuire au four 10 à 12 minutes ou jusqu'à ce que les boulettes soient bien cuites jusqu'au centre. Garnir du reste du persil plat et servir avec une salade verte et du riz à grains entiers ou des pommes de terre au four.

● **CONSEIL RAPIDO**

Lorsqu'il n'y a pas assez de légumes dans mon assiette, je ne me casse pas la tête, j'improvise une salade vite faite. J'ajoute dans chaque assiette une poignée de mesclun, quelques tomates cerises, du concombre et d'autres légumes, selon ce qu'il y a dans le frigo. J'aime y mettre des olives et de gros croûtons maison. J'ajoute parfois du fromage, que ce soit des cubes de cheddar fort, de la feta émiettée, des copeaux de parmesan ou des tranches de fromage de chèvre. Je place sur la table un bon vinaigre et de l'huile d'olive. Voilà !

VALEUR NUTRITIVE
(par portion)
Énergie : **510 Cal**
Protéines : **22 g**
Matières grasses : **17 g**
Glucides : **51 g**
Fibres : **1,9 g**
Sodium : **251 mg**

● **VOUS AVEZ PLUS DE TEMPS ?**
Doublez la recette et servez les boulettes en extra au dîner dans des pains pitas garnis de laitue, de fromage râpé, de tranches de tomate et de concombre. En saison, préparez les boulettes sur le barbecue.

SAUMON GRILLÉ AU PAVOT ET AU SÉSAME

Ingrédients vedettes

- 4 pavés de **saumon** d'environ 100 g (3,5 oz) chacun
- 60 ml (1/4 tasse) de **miel** liquide
- 5 ml (1 c. à thé) de **vinaigre de riz**
- 5 ml (1 c. à thé) d'**huile de sésame** grillé
- 15 ml (1 c. à soupe) de **graines de sésame**
- 15 ml (1 c. à soupe) de **graines de pavot**
- 1 paquet de 250 g (8 oz) de **nouilles de riz** larges
- 20 ml (4 c. à thé) d'**huile**
- 10 ml (2 c. à thé) de **vinaigre de riz**
- 1/2 **concombre** en petits dés
- 1/2 **poivron rouge** en petits dés
- 3 **oignons verts** hachés finement (parties blanches et vertes)
- 80 ml (1/3 tasse) de **menthe** fraîche hachée
- 1 pincée de **sel**

1. Préchauffer le four à 230 °C (450 °F).
2. Dans un petit bol, mélanger le miel, le vinaigre de riz et l'huile de sésame.
3. Placer les pavés de saumon sur une plaque de cuisson doublée de papier parchemin. Badigeonner le saumon de la préparation au miel. Saupoudrer de graines de sésame et de pavot.
4. Cuire au four 10 minutes ou jusqu'à ce que l'extérieur du saumon soit doré et le centre encore humide.
5. Pendant ce temps, plonger les nouilles de riz dans l'eau bouillante salée. Cuire 3 minutes ou jusqu'à ce que les nouilles soient tendres, puis égoutter.
6. Dans un grand bol, mélanger l'huile et le vinaigre. Ajouter les légumes, la menthe et le sel, puis mélanger. Incorporer délicatement les nouilles de riz.
7. Servir le saumon accompagné d'une portion de nouilles de riz.

● CONSEIL RAPIDO

C'est vrai que le saumon est un des poissons les plus gras. Mais dites-vous qu'il est quand même moins gras que plusieurs viandes. De plus, les gras du saumon sont bons pour la santé. Alors, profitez des bienfaits du saumon et faites-en cuire 300 g (10 oz) de plus en même temps que le saumon de cette recette, mais sans l'assaisonner. Sans plus d'effort, vous aurez un bout de saumon prêt à être intégré au lunch du lendemain, dans une salade de verdure ou de pâtes, un couscous ou un sandwich.

VALEUR NUTRITIVE
(par portion)
Énergie : **576 Cal**
Protéines : **24 g**
Matières grasses : **20 g**
Glucides : **74 g**
Fibres : **3,2 g**
Sodium : **217 mg**

● VOUS AVEZ PLUS DE TEMPS ?

Préparez les mini bok choy à l'orange en accompagnement. Pour la recette, consultez les idées en 5 minutes à la page 40.

« Un sauté, c'est le plat idéal pour laisser aller sa créativité. Une abondance de légumes colorés et encore croquants, j'adore ! »

complètement sauté

Ingrédients vedettes

SAUTÉ DE PÉTONCLES AUX POIS MANGE-TOUT

- 250 ml (1 tasse) de **riz basmati** rincé et égoutté
- 5 ml (1 c. à thé) d'**huile**
- 450 g (1 lb) de **pétoncles** crus
- 5 ml (1 c. à thé) d'**huile**
- 10 ml (2 c. à thé) d'**ail** haché
- 375 ml (1 1/2 tasse) de **champignons** tranchés
- 375 ml (1 1/2 tasse) de **pois mange-tout** équeutés
- Le jus de 1 **citron**
- 80 ml (1/3 tasse) de **basilic** frais haché
- 1 pincée de **sel**
- **Poivre** concassé

1. Dans une casserole moyenne, mettre le riz et 375 ml (1 1/2 tasse) d'eau. Porter à ébullition, réduire à feu moyen-doux, couvrir et laisser mijoter 15 minutes ou jusqu'à ce que l'eau soit absorbée. Réserver. Laisser le couvercle.
2. Pendant ce temps, bien éponger les pétoncles dans du papier essuie-tout.
3. Dans une poêle antiadhésive, cuire les pétoncles dans l'huile à feu vif 3 minutes d'un côté, retourner et cuire 3 minutes de l'autre côté ou jusqu'à ce qu'ils soient dorés. Ne pas trop cuire. Retirer du feu et transvider dans un bol doublé de papier essuie-tout.
4. Dans la même poêle, ajouter l'huile, l'ail, les champignons et les pois mange-tout, et sauter 5 minutes à feu vif.
5. Incorporer les pétoncles, le jus de citron, le basilic, le sel et le poivre. Remuer et servir sur le riz.

● CONSEIL RAPIDO

Voici quelques indices de fraîcheur pour les pétoncles. Lorsque vous les achetez frais, choisissez des pétoncles de couleur crème, à texture humide, mais non gluante et avec une douce odeur presque sucrée. Ils doivent être consommés le jour de l'achat ou au plus tard le lendemain. S'ils sont congelés, assurez-vous qu'il n'y ait pas de givre ni de traces de brûlure par le froid. Ils se conservent un mois au congélateur.

VALEUR NUTRITIVE
(par portion)
Énergie : **298 Cal**
Protéines : **22 g**
Matières grasses : **3 g**
Glucides : **44 g**
Fibres : **1,6 g**
Sodium : **205 mg**

● VOUS AVEZ PLUS DE TEMPS ?

Prenez le temps de couper les pois mange-tout en julienne. La cuisson sera à peine plus rapide à l'étape 4, mais le résultat sera plus appétissant !

BOL DE NOUILLES AU BŒUF

Ingrédients vedettes

- 227 g (1/2 lb) de **nouilles de blé chinoises** yet-ca-mein (1/2 paquet de 454 g)
- 5 ml (1 c. à thé) d'**huile**
- 450 g (1 lb) de **cubes de bœuf** à fondue bourguignonne
- 1 **oignon** émincé
- 2 **carottes** tranchées finement en biseau
- 2 branches de **céleri** tranchées finement en biseau
- 1 **poivron rouge** et 1 **poivron jaune** en julienne
- 227 g (1/2 lb) de **pois « sugar snap »** ou de pois mange-tout, hachés grossièrement
- 1 c. à thé (5 ml) de **gingembre** haché
- 250 ml (1 tasse) de **bouillon de bœuf** du commerce, réduit en sodium
- 125 ml (1/2 tasse) d'**eau**
- 60 ml (1/4 tasse) de **miel** liquide
- 1 **piment fort** frais émincé ou 2,5 ml (1/2 c. à thé) de flocons de piment fort

1. Cuire les nouilles dans l'eau bouillante environ 5 minutes. Égoutter et réserver. Les nouilles doivent être encore fermes. La cuisson sera terminée à l'étape 5.
2. Pendant ce temps, dans une poêle antiadhésive à hauts rebords, saisir les cubes de bœuf dans l'huile 5 minutes à feu vif. Retirer de la poêle et réserver dans un bol doublé de papier essuie-tout pour absorber le gras.
3. Dans la même poêle, faire revenir les oignons, les carottes et le céleri 5 minutes à feu moyen-vif. Ajouter les poivrons, les pois et le gingembre, et cuire 3 ou 4 minutes de plus, jusqu'à ce que les légumes soient tendres et grillés.
4. Ajouter la viande, le bouillon, l'eau, le miel et le piment. Remuer et porter à ébullition.
5. Ajouter les nouilles, mélanger et poursuivre la cuisson quelques minutes, jusqu'à ce que les nouilles soient tendres. Servir dans des bols.

● **CONSEIL RAPIDO**

Dans cette recette, utilisez des cubes de bœuf à fondue bourguignonne. Ils seront tellement plus tendres que les cubes de bœuf à ragoût ! Ces deux coupes sont souvent placées côte à côte dans le comptoir des viandes. À l'œil, on ne voit pas une grande différence. Pourtant, le bœuf à ragoût nécessite une cuisson lente pour ne pas être coriace, alors que les cubes à fondue bourguignonne seront très tendres même avec une cuisson à feu vif. C'est bon à savoir !

VALEUR NUTRITIVE
(par portion)
Énergie : **503 Cal**
Protéines : **37 g**
Matières grasses : **8 g**
Glucides : **76 g**
Fibres : **5,9 g**
Sodium : **242 mg**

● **VOUS AVEZ PLUS DE TEMPS ?**

Prolongez l'étape 4 d'environ 10 minutes avant d'ajouter les nouilles. Le bouillon s'imprégnera encore plus des saveurs des autres ingrédients et les légumes seront encore plus tendres. Votre patience sera récompensée.

CHOP SUEY

Ingrédients vedettes

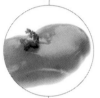

- 5 ml (1 c. à thé) d'**huile**
- 1 petit **oignon** émincé
- 1 grosse **carotte** tranchée finement
- 450 g (1 lb) de **poitrines de poulet** en cubes (environ 2 demi-poitrines)
- 250 ml (1 tasse) de **bouillon de poulet** maison ou du commerce, réduit en sodium
- 250 ml (1 tasse) de **champignons blancs** coupés en 4
- 375 ml (1 1/2 tasse) de fleurons de **brocoli** (soit 1/2 tête de brocoli)
- 1 **poivron jaune** en dés
- 5 ml (1 c. à thé) d'**ail** haché
- 5 ml (1 c. à thé) de **gingembre** haché
- 30 ml (2 c. à soupe) de **sauce soya**
- 15 ml (1 c. à soupe) de **miel** liquide
- 5 ml (1 c. à thé) de **fécule de maïs**
- 1 paquet de 175 g (5,5 oz) de **nouilles udon** ou hokkien cuites (emballage sous vide)
- 500 ml (2 tasses) de **fèves germées**

1. Dans une poêle antiadhésive à hauts rebords, sauter l'oignon, les carottes et le poulet dans l'huile 5 minutes à feu vif ou jusqu'à ce que les cubes de poulet soient dorés sur tous les côtés.
2. Réduire à feu moyen, ajouter le bouillon, les champignons, le brocoli, le poivron, l'ail et le gingembre, couvrir et poursuivre la cuisson 5 minutes.
3. Pendant ce temps, dans un petit bol, délayer la fécule de maïs dans la sauce soya et le miel. Ajouter à la poêle et remuer pour bien répartir dans la préparation.
4. Mettre les nouilles et les fèves germées sur le dessus de la préparation. Couvrir et laisser mijoter 5 minutes à feu moyen. Mélanger et servir.

● **CONSEIL RAPIDO**

Le wok, cette grande poêle asiatique, est idéal pour cuisiner à feu vif. Les sautés, grillades et sauces pour pâtes y seront prêts en un instant. Utilisez un wok avec un revêtement antiadhésif. Ce n'est pas authentique, mais très pratique. La cuisson à feu vif ou moyen-vif permet de gagner du temps. En contrepartie, vous devrez surveiller votre recette pour éviter qu'elle ne brûle et remuer plus souvent les ingrédients.

VALEUR NUTRITIVE
(par portion)
Énergie : **324 Cal**
Protéines : **37 g**
Matières grasses : **6 g**
Glucides : **34 g**
Fibres : **3,4 g**
Sodium : **352 mg**

● **VOUS AVEZ PLUS DE TEMPS ?**

Préparez en entrée une salade de julienne de carottes, mangues, chou chinois et poivron rouge. Vous pouvez aussi ajouter des feuilles de coriandre et des pousses de bambou (en conserve). C'est une salade très fraîche et croquante qui ne demande que du jus d'orange et un peu d'huile de sésame grillé en guise de vinaigrette.

● préparation : **10 à 12 min**
● cuisson : **16 à 18 min**
● portions : **4**

Ingrédients vedettes

BOEUF AU BROCOLI

- 250 ml (1 tasse) de **riz basmati** rincé et égoutté
- 5 ml (1 c. à thé) d'**huile**
- 1 petit **oignon** en lanières
- 5 ml (1 c. à thé) d'**ail** haché
- 15 ml (1 c. à soupe) de **gingembre** frais haché (environ 2,5 cm / 1 po de racine)
- 600 g (1 1/3 lb) de **bœuf** en lanières
- 250 ml (1 tasse) de **bouillon de bœuf** à teneur réduite en sodium
- 60 ml (1/4 tasse) de **miel** liquide
- 30 ml (2 c. à soupe) de **sauce soya**
- 30 ml (2 c. à soupe) de **fécule de maïs**
- 500 ml (2 tasses) de fleurons de **brocoli** (soit une grosse tête de brocoli)
- 20 ml (4 c. à thé) de **graines de sésame** grillées

1. Dans un chaudron moyen, mettre le riz et 500 ml (2 tasses) d'eau. Porter à ébullition, réduire à feu moyen, couvrir et laisser mijoter 15 minutes ou jusqu'à ce que l'eau soit absorbée. Réserver.

2. Pendant ce temps, dans une grande poêle à hauts rebords, mettre l'huile, l'oignon, l'ail et le gingembre, et cuire 2 minutes à feu moyen-vif. Ajouter le bœuf et cuire de 5 à 7 minutes en remuant régulièrement. Lorsque le bœuf est grillé sans toutefois être entièrement cuit, transvider le tout dans un bol doublé de papier essuie-tout pour absorber le gras. Réserver.

3. Pendant la cuisson du bœuf, mélanger dans une tasse à mesurer le bouillon, le miel, la sauce soya et la fécule de maïs. S'assurer de bien dissoudre la fécule.

4. Dans la même poêle, ajouter les fleurons de brocoli et verser la sauce. Remuer et ajouter la viande. Couvrir et laisser mijoter à feu moyen de 5 à 7 minutes en mélangeant régulièrement pour bien enrober de sauce les ingrédients. La sauce épaissira et deviendra translucide.

5. Saupoudrer de graines de sésame et servir. Accompagner de riz basmati.

● CONSEIL RAPIDO

Vous mangez trop vite ? Un truc : mangez avec des baguettes ! Au restaurant asiatique, et même à la maison, les sautés, les grillades et les riz aux légumes sont des candidats de choix pour les baguettes. Vous ralentirez le rythme, surtout si vous n'êtes pas très habile, et ce sera plus facile d'écouter votre appétit. Lorsque vous engloutissez votre repas en moins de deux, vous risquez de trop manger. Les baguettes, quel bon truc pour déguster lentement votre repas !

VALEUR NUTRITIVE *(par portion)*
Énergie : **511 Cal**
Protéines : **40 g**
Matières grasses : **9 g**
Glucides : **66 g**
Fibres : **2,9 g**
Sodium : **390 mg**

● VOUS AVEZ PLUS DE TEMPS ?
À la fin de la cuisson, ajoutez un poivron rouge et 250 ml (1 tasse) de pois mange-tout, coupés en juliennes très fines.

SAUTÉ DE POULET À LA POIRE

Ingrédients vedettes

- 5 ml (1 c. à thé) d'**huile**
- 1 petit **oignon** émincé
- 450 g (1 lb) de **poitrines de poulet** en cubes (environ 2 demi-poitrines)
- 10 ml (2 c. à thé) de **gingembre** frais haché
- 2 **poires Anjou** avec la peau, en dés
- 30 ml (2 c. à soupe) de **miel** liquide
- 1 pincée de **sel**
- Le jus de 1 **citron**
- 375 ml (1 1/2 tasse) de **fèves germées**
- 1 paquet de 250 g (8 oz) de **nouilles de riz** larges
- 45 ml (3 c. à soupe) de **coriandre** fraîche hachée

1. Dans une poêle antiadhésive à hauts rebords, sauter l'oignon et le poulet dans l'huile 5 minutes à feu vif ou jusqu'à ce que les cubes de poulet soient dorés sur tous les côtés.
2. Réduire à feu moyen, ajouter le gingembre, les poires et le miel, remuer et poursuivre la cuisson 3 minutes.
3. Ajouter le jus de citron et le sel, et remuer pour déglacer la poêle. Ajouter les fèves germées, couvrir et cuire 5 minutes à feu doux.
4. Pendant ce temps, plonger les nouilles de riz dans l'eau bouillante salée. Cuire 3 minutes ou jusqu'à ce que les nouilles soient tendres, égoutter et répartir dans 4 bols de service.
5. Déposer la préparation de poulet sur les nouilles. Garnir de coriandre et servir.

● CONSEIL RAPIDO

Je suis certaine que vous aimerez la saveur fruitée de cette recette. Il n'y a rien de mieux pour briser la monotonie! Les fruits se marient bien aux sautés asiatiques. Ajoutez les fruits plus fermes, comme les poires et les ananas, tôt dans la recette, et les fruits plus délicats, comme la mangue ou les mandarines, à la fin, pour éviter qu'ils ne deviennent trop mous.

VALEUR NUTRITIVE
(par portion)
Énergie : **488 Cal**
Protéines : **32 g**
Matières grasses : **5 g**
Glucides : **80 g**
Fibres : **4,5 g**
Sodium : **232 mg**

● VOUS AVEZ PLUS DE TEMPS ?

Pour un souper végétarien, remplacez les cubes de poulet par des cubes de tofu que vous aurez fait mariner 15 minutes dans 30 ml (2 c. à soupe) de sauce soya, 5 ml (1 c. à thé) d'huile de sésame et la même quantité de vinaigre de riz. Faites griller le tofu à l'étape 1. Pour un petit côté encore plus exotique, utilisez des poires asiatiques. Elles sont très croquantes et juteuses et se prêtent bien à cette recette.

Références

1 - *Le consommateur québécois et ses dépenses alimentaires*, BioClips+, MAPAQ, vol 6, no2, septembre 2003.

2 - «Cooking Trends Echo Changing Roles of Women», *Food Review*, Vol 23, N° 1, janvier 2000.

3 - Larson NI, Perry CL, Story M, Neumark-Sztainer D. «Food preparation by young adults is associated with better diet quality», *J Am Diet Assoc*. 2006;106:2001-2007.

4 - Eck Clemens LH, Slawson DL, Klesges RC. «The effect of eating out on quality of diet on premenopausal women», *J Am Diet Assoc*. 1999;99:442-444.

5 - Videon TM, Manning CK. «Influences on adolescent eating patterns : the importance of family meals», *Journal of adolescent health* 2003;32:365-373.

6 - Neumark-Sztainer D, Hannan PJ, Story M, Croll J, Perry C. «Family meal patterns : association with sociodemographic characteristics and improved dietary intake among adolescents», *J Am Diet Assoc*. 2003;103:317-322.

7 - Spear BA. «The need for family meals», *J Am Diet Assoc*. 2006;106(2):218-219.

8 - Fulkerson JA, Story M, Mellin A, Leffert N, Neumark-Sztainer D, French SA. «Family meal frequency and adolescent development relationships with developmental assets and high-risk behaviors», *Journal of adolescent health*, 2006;39:337-345.

9 - Kulkerson JA, Neumark-Sztainer D, Story M. «Adolescent and parent view of family meals», J *Am Diet Assoc*. 2006;106:526-532.

10 - Weinstein, M. *The surprising power of family meals*, Streerforth Press, 2005.

11 - Les Diététistes du Canada. Résultats d'un sondage réalisé en 2006 auprès de 4000 internautes.

12 - Spear BA. «The need for family meals», *J Am Diet Assoc*. 2006;106(2):218-219.

13 - Garriguet D. *Vue d'ensemble des habitudes alimentaires des Canadiens, résultats de l'Enquête sur la santé dans les collectivités canadiennes*, Statistique Canada, 2004.

14 - Les comparaisons de prix ont été effectuées en avril 2008, dans des épiceries de la région de Montréal.

15 - *Panorama de l'industrie des légumes de transformation*, Table filière légumes de transformation, MAPAQ, 2006.

16 - Blanchet C, Lucas M, Dewailly E. *Analyses des acides gras oméga-3 et des contaminants environnementaux dans les salmonidés*. 2005. Unité de recherche en santé publique, Centre de recherche du CHUL (CHUQ) et institut national de santé publique de Québec.

●●●● TABLE DES RECETTES

●●● TABLE DES RECETTES

pur réconfort

●●●● TABLE DES RECETTES

tout en un

●●●● TABLE DES RECETTES

●●● TABLE DES RECETTES

IMPRIMÉ AU CANADA